羆　嵐

吉村　昭著

新潮社版

2915

羆《くま》

嵐《あらし》

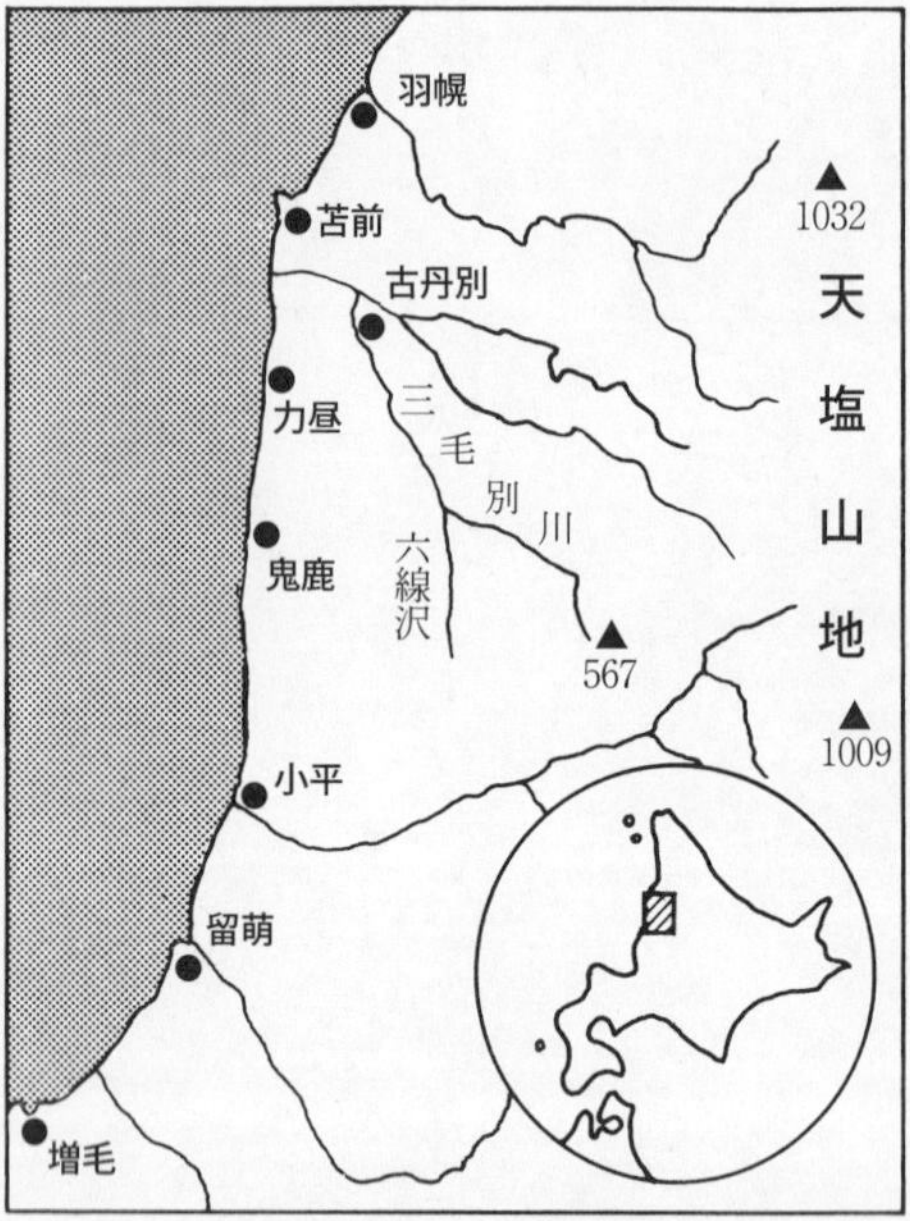

『羆嵐』舞台周辺

一

大正三年夏に勃発《ぼっぱつ》した第一次世界大戦は短期間に終了することが予想されていたが、戦火は急速に拡大し、日本も日英同盟にもとづいて参戦、ドイツの租借地である青島《チンタオ》に兵を派して攻略した。

翌年に入っても戦争終結の気配はなく、戦争による経済混乱がヨーロッパ諸国を呻《しん》吟《ぎん》させていた。ヨーロッパの主戦場から遠くはなれた日本の経済も、輸出の停滞と輸入品不足に悩み、深刻な不況にさらされていた。

しかし、その年の夏頃からロシア、イギリスに対する軍需品の輸出量が上昇し、アメリカへの生糸を中心とした商品の輸出もいちじるしく増加しはじめ、日本経済は好況に転じた。

その傾向は都会から徐々に地方へ伝わり、北海道地区では秋を迎えた頃からはっきりした形になってあらわれた。それは雑穀類の商取引の増加にはじまり、物価の騰貴《とうき》についで青豌豆《あおえんどう》、菜豆《なまめ》が高値で商人に買いあさられた。

しかし、それは内地と交流のある地域にかぎられた現象で、交通機関もない僻地《へきち》には及んでいなかった。

北海道北西部の天塩《てしお》国苫前《とままえ》郡苫前村の山間部では新聞を眼にする機会などなく、人々は、漁村に出稼《でかせ》ぎに行った者の口からわずかに第一次世界大戦が続行中であることを耳にするだけで、経済の動きなどについては知ることもなく、関心もいだいていなかった。かれらは、山に入って炭を焼き、痩《や》せた耕地を耕していた。

その年も、紅葉は天塩山地の高い峰々の頂きからはじまった。朱の色は、早い速度で山火事のように尾根一帯を染め、互に合流して深くきざまれた渓谷へなだれ落ちていった。それは、谷間に鬱蒼《うっそう》としげる樹木の葉をあざやかに染めながら、所々に滝を作って曲折する渓流の流れとともに下ると、やがて三毛別《さんけべつ》川の支流に営まれた六線沢の村落をつつみ、さらに下流へと進んで海岸線にひろがっていった。

海は荒く潮流も早いが、点綴《てんてい》する漁村には家が密集し、太い材を惜しげなく使った網元の豪壮な家も立っている。漁村は、海の恵みをふんだんにあたえられていた。

春、鰊《にしん》は潮流に乗って産卵のため海岸線一帯に重り合うような密度で押し寄せ、それを雄の鰊の大群が追ってくる。放たれる精液で海は白濁し、鰊の飛沫《ひまつ》で水面が波立つ。雇われ漁夫をまじえた漁師たちは、舟を操って鰊ではちきれそうな網を休みなく揚げ、浜では女たちに老人、子供も加わって鰊を運ぶ。それらは、身欠きにされたり肥料用にされたりして、業者の手で買いとられてゆく。鰊漁の多寡《たか》が漁村の生活を左右したが、数年前から豊漁つづきで、漁村は活気にあふれていた。

それに比較して、六線沢の村落は、山間部の御料地に新しくひらかれた開拓地であるだけに、人々の生活は貧しかった。戸数はわずかに十五戸で、各戸の者たちは樹木を倒して根を掘り起し、岩石を取り除いて痩せた耕地に種をまいていた。

その地に人々が足をふみ入れたのは四年前の明治四十四年春で、北方三十キロの山間部にある開拓地から集団移動してきた者たちであった。

かれらは、東北地方の同じ村で父祖からの地を耕作してきた農夫たちであったが、水害につぐ水害で田畠《たはた》を流され餓死寸前におちいった。農家では娘を売る者が続出したが、それでも飢えからのがれられぬ者たちは、政府の移民奨励政策にしたがって土地、家屋、墓石を捨て、家族とともに北海道の地をふんだ。

かれらは、指定された築別《ちくべつ》の近くの御料地に入植し、国からあたえられた僅《わず》かな奨励金で草囲いの小屋を建て、不毛の地に鍬《くわ》を入れ、畝《うね》をおこして種をまいた。収穫は、故郷の地とは比べようもないほど乏しく、作物の種類も限られていたが、その地には少くとも定期的な河川の氾濫《はんらん》による濁水の襲来はなかった。耕した土は、そのまま越年し、まいた種も育った作物も流されることはなく、そのことだけでも、かれらは恵まれていると自らを慰めていた。

しかし、年を追うにつれて、かれらはその地の環境に不満をいだくようになった。それは、その地が種々な昆虫の大量棲息地《せいそくち》であったからであった。

四月に村落をおおっていた雪が融《と》けはじめるが、地表が露出した頃からアブ、蚊の発生がみられ、それは十一月初旬の初雪が舞う頃まで姿を消さない。殊《こと》に五月初旬から九月初旬にかけて繁殖がいちじるしく、人、馬、犬にむらがった。その激しさに、人々は、眼の部分に蚊帳布《かやぬの》をたらした布袋を頭からかぶって耕作をしたが、馬はアブと蚊に体をおおわれて狂ったように暴れまわり、使用をしばしば断念しなければならなかった。

さらに夏季には、小さな糠蚊《ぬかか》が大量発生し、あたり一帯が白くかすんだ。それらは、露出した皮膚に糠をまぶしたように附着し、人々は激しい痒痛《ようつう》におそわれ、中には高熱を発して苦しむ者もいた。また、口、鼻、耳孔に糠蚊が入りこんで、人々を卒倒させる事故すら起った。

かれらは、そうした苦痛にも堪えたが、五年前蝗《いなご》の襲来によってその地を捨てた。

蝗害《こうがい》は、北海道の各地に周期的に起っていたが、その年の秋、かれらの村落におびただしい蝗の群が風に乗って飛来した。たちまち作物の葉や茎をかみ切る異様な音が耕地一帯にひろがり、それは原野の草地にも及んだ。

咀嚼《そしゃく》音は昼夜の別なくつづき、三日後には作物も雑草も絶え、さらに草囲いの小屋の草壁や貯蔵された雑穀も食いつくされた。そして、蝗の群は再び風に乗っていずこともなく移動していった。

村落には、荒れた畠地、材のむき出しになった小屋、それらをおおう蝗の分泌《ぶんぴつ》した黒い粘液が残されただけであった。

かれらは、蝗の分泌物から発する異臭のひろがった地を放心したようにながめて立ちつくした。新しい土地の開墾を夢みて努力してきたかれらは、それが徒労に終ったことを知り、中には乏しい身の廻り品を手に他の土地へ去ってゆく家族もいた。

村落が蝗害によって壊滅状態におちいったことは、その地区を管轄《かんかつ》下におく帝室林野管理局員の耳に入り、対策が講じられた。その結果、その地を廃棄して新たに六線沢御料地を農地に指定し、村落の者に移動するよう勧告した。

苛《か》酷《こく》な環境に苦しんできた村落の者たちは、担当官の言葉にすぐには応じなかった。水害で故郷を捨て北海道に渡ってきたかれらは、入植地でなんの前ぶれもなく襲来した蝗の群にすべてを失った。自分たちをとりまく四季の移行は不安定で、それによって生活を侵蝕《しんしょく》されるのは自分たちの定めかとさえ思った。かれらは、他の土地に移動しても、期待すべきものはなにもないと信じていた。

しかし、結局かれらは、担当官の勧告にしたがった。かれらにとって、官吏の存在は絶対的なものであり、その指示を無視することはできなかった。それに、差迫った問題としてかれらは生きねばならず、そのためには他の土地に移動しなければならなかった。

かれらは、指定された土地がどのような環境にあるかを知る必要を感じ、三名の男を選び、かれらを三十キロへだたった指定地に赴かせた。男たちは、三毛別の開拓村落を通過し、渓流沿いの道をたどって六線沢に足をふみ入れた。そして、担当官から渡された地図を手に附近一帯を踏査し、その地で野宿して村落に引返してきた。

かれらの報告は、村落の者たちの気持を動かした。六線沢には蚊やアブもほとんどいず、清澄《せいちょう》な空気がただよっている。渓流沿いの御料地には平坦地《へいたんち》が多く、耕地に適している。

殊に村落の者たちの関心を強くひいたのは、水量豊かな渓流の存在であった。それまでかれらが住みついていた土地は、水の縁に乏しく、丘陵を越えた谷から水運びすることを余儀なくされ、それが農作業の大きな障害になっていた。それに比べて六線沢では、労せずして畠《はたけ》に水を引入れることもできるし、飲料水に事欠くこともない。かれらには、その地が理想郷のようにも思えた。

村落全体の移住が決定し、移植希望者順にそれぞれ持分の土地が定められ、先発した男たちの手で家づくりがはじめられた。帝室林野管理局の許可を得て山林から材木が伐《き》り出され、それを蔓《つる》で組み立て、周囲を草でかこんで樹皮の屋根をふいた。が、家と言っても出入口と窓に蓆《むしろ》を垂らし、床にイナキビ殻や笹《ささ》を敷きつめた粗末な小舎《こや》にすぎなかった。

あわただしい移動がつづき、半年後には十五家族が六線沢に乏しい家財を運び入れた。

生活をはじめたかれらは、新しい土地の環境に満足した。夏になっても蚊やアブは少く、蝗が来襲する気配もない。それに家の近くを渓流が流れているので、溝《みぞ》を作るだけで水を畠の溜池《ためいけ》にみたすことができたし、渓流の岸に設けた洗場で鍋釜《なべかま》を洗い、川魚をとって食うこともできた。

六線沢に移植してから四年余が経過し、人々はその地での生活にもなじんだが、両側に山肌の迫った僻地であるだけに自然環境はきびしかった。

六線沢は苫前村にぞくし、トド松、エゾ松の生い繁《しげ》る山間部に孤立していた。村役場までは約三十キロの距離があって、村の中心部にわずかな日用品を買いに行くのにも泊りがけで行かねばならなかった。

冬がやってくると、その地は深い積雪に埋れ、きびしい寒気にさらされた。出入口や窓の蓆をひるがえして雪まじりの寒風が絶えず吹きこみ、鍋に残った雑炊は凍り、濡《ぬ》れた床には氷が張った。かれらは、昼も夜も炉の火をたやさず、夜間にはふとんの中で夫は妻と、子供は子供同士で互に身を寄せ合って眠った。防寒衣は、わずかに犬の毛皮で作ったチャンチャンコがある程度で、それも所持しているのは一部の者にかぎられていた。

そうした生活の中で、女たちは子供を生んだ。かれらは、家族がふえればそれだけ体温と呼気で家の中の温度がたかまると信じていたが、それによって貧困の度合は一層増した。

六線沢の者たちは紅葉の訪れに、積雪期がせまっていることを察し、あわただしく越冬の準備を急いでいた。山林から集めてきた木を割って薪を作り、雑穀、山菜、川魚を乾燥し、野菜を鰊とともに樽《たる》に漬けた。雪におおわれた冬期には、男たちの大半が漁場に出稼ぎに行き、村落には老人、女、子供たちだけになる。残された者たちは、食物を少量ずつ口にしながら、ひっそりと春の訪れを待つのだ。

紅葉が村落をつつんだ頃、すでに峰々の頂きは雪を冠していた。その白いかがやきは、紅葉の速度よりも早く山肌をおおうと、十一月初旬には六線沢一帯に初雪を舞わせた。

村落の者たちは、日増しにきびしくなる寒気と競い合うように薪を家の土間や庇《ひさし》の下に積み上げ、日没近くまで鉈《なた》をふるっていた。

気温がゆるんで霙《みぞれ》まじりの雨が降る日もあったが、やがて牡丹雪《ぼたんゆき》が舞い、それも粉雪に変った。かれらは戸外に出ることもせず炉の近くで身を寄せ合ってすごしていた。

家々は、曲折した渓流ぞいに点在していたが、十一月下旬、下流に近い家で些細《ささい》な動きがみられた。

その日、夜明けに近い頃、家人は、家の中に飼われている馬が突然足をふみ鳴らし、しきりに嘶《いなな》いて暴れる音に眼をさました。

主人がふとんからぬけ出し馬をしずめようとしたが、馬はおびえたように鼻孔を大きくひらき、たてがみを振り立てて荒々しくせまい空間を動きまわる。その異常な動作に、男は窓際《まどぎわ》に近づくと垂れ蓆の間から戸外をうかがったが、あたりは暗く、ただ渓流の水の走る音がきこえるだけであった。

かれは、しみ入るような寒さに身をふるわせ、火の消えかけた炉に薪を加えてふとんにもぐりこんだ。妻は、男の冷えた体に辟易《へきえき》して背を向け、かれは長い間歯を鳴らして体をちぢめていた。いつの間にか馬は落着きをとりもどしたらしく、あたりに静寂がもどっていた。

かれが仮睡して眼をさますと、すでに朝の陽光が垂れ蓆の間から流れこみ、家族は床をはなれ、前夜食べ残したヒエ粥《がゆ》の入っている鍋を自在鉤《じざいかぎ》にかけて煮直していた。

かれは、起き上ると綿入れのチャンチャンコを着て炉の傍《そば》に坐《すわ》った。なぜ馬が暴れたのか、おそらく狐《きつね》でも家の近くを歩きまわったからにちがいない、とかれは思った。

かれは、家族たちと粥をすすった。家の中に煙がたちこめ、家族たちは眼をしきりにこすった。かれらの眼は充血し、そのふちからは脂《やに》がにじみ出ていた。

頭を木櫛《きぐし》でかきながら戸外に薪を取りに出ていった妻が、甲高い声をあげた。家族たちは顔をあげ、男は出口に垂れた蓆をはね上げて外に出た。妻は、家の軒下に眼を向けていた。そこには、秋に収穫した越冬食糧用のトウキビが縄に吊《つる》されて干されていたが、その一部が荒々しく食い散らされ、縄も引きちぎられていた。

かれは、雪の表面にひどく大きな足跡が印《しる》され、それが裏山に消えているのを眼にして夜明けにやってきた獣が狐ではないことを知った。トウキビを食い縄をひきちぎっている荒々しい行為から考えて、羆《ひぐま》の所業にちがいないと思った。

羆は雑食動物で、植物性のものも食べあさるが肉も食う。時には家畜や人間を襲うこともあるが、かれは、トウキビを食いちらしただけで去った羆に身の危険を感じることはなかった。

六線沢は未開の山林中に位置し、そこに村落が形成されたのは、自然の秩序の中に人間が強引に闖入《ちんにゅう》してきたことを意味する。当然、その地には古くから棲《す》みついた鳥獣がいて、人間はそれら鳥獣との同居によって生活を営んでいる。羆にトウキビを食い荒されたことは、その家の家族にとって痛手ではあったが、それは、後住者である人間たちに課せられた宿命といえるものでもあった。

それに、男が羆の足跡にそれほどの恐怖を感じなかったのは、猟師から羆の習性を耳にしていたからであった。羆は、紅葉が終るころ餌《えさ》をあさって十分な栄養を体に貯《たくわ》え、自らの体に適した穴を探し出して降雪と同時に冬ごもりに入る。すでに雪は来ていて、羆は穴の中に身をひそませているはずだし、家の外に近づいてきた羆は気紛れに穴から這《は》い出て雪の中を歩きトウキビを食ったにちがいなかった。羆は決して飢えているのではなく、その証拠に馬を襲うこともしなかったのだ、とかれは思った。

かれは、羆の出現も些細な事柄として軽視し、その小事件を他家にもらすことはしなかった。隣家までは遠く、それを告げに行く気にもなれなかったのだ。

しかし、五日後の早朝、かれは再び馬が足をふみならし嘶くのを耳にして落着きを失った。軒下に干されたトウキビの大半が食われ、新たな足跡が裏山の傾斜を駈《か》け上っていた。

妊娠している妻は、トウキビが被害にあった分量だけ子供たちにあたえる食物が少くなると嘆き、クマに食わせるために収穫したのではないと、甲高い声をあげた。

男は、妻に辟易し、

「クマが勝手に食っていったものをどうすればいいというのだ。おれのせいだとでも言うのか」

と、怒声をあびせかけ、妻の頰を平手でたたいた。

しかし、妻は一層声を荒《あら》らげて、

「馬がクマにとられてもいいのか。クマは馬や牛や緬羊《めんよう》を好んで食うと言うじゃないか」

と、わめき散らした。

かれは、その言葉にひるんだ眼をした。耕作に不可欠の馬は家族にとって最も貴重な財産で、それを失うことは生活の破綻《はたん》につながる。

かれは、二度も羆がやってきたことに不穏なものを感じ、下流方向の三毛別開拓村落に住む猟銃を持った老人に助力を得ようと思った。六線沢には、銃を所持している者は一人もいなかった。

かれが外出の準備をはじめると、妻は、

「クマを仕とめたら、私たちにも肉を分けてくれるんだろう?」

と、はずんだ声で言った。

かれは、無言でうなずくと、渓流沿いの雪道を下った。

三毛別の老人は、男の話をいぶかしそうにきいていたが、穴持たずかな、と脂のこびりついた眼をしばたたいた。

男は、初めて耳にする言葉に頭をかしげ、その意味を問うた。老人は、冬ごもりする穴を見つけそこなった羆のことだ、と言った。それは極めて稀《まれ》なことだが、体の大きい羆がそれに適した穴を見出《みいだ》すことができず、降雪期を迎えてからも雪中に餌を求めて彷徨《ほうこう》する。穴持たずの羆は、気性が荒いという。

老人は、炉端をはなれると、粉雪のちらつきはじめた戸外に出ていったが、すぐに銃を手にした中年の男を連れてもどってきた。そして、炉に鉄鍋をかけて鉛をとかし弾丸作りをはじめた。男は、かれらが雑談を交しながら器用に弾丸を作ってゆくのをながめていた。

老人と中年の男が、それぞれ村田銃を手に立ち上った。

男は、かれらを案内して六線沢に引返し、家の裏側にまわると食い荒されたトウキビと雪上の足跡をかれらに見せた。

老人は、足跡の大きさに眼をみはった。そして、中年の男と足跡の消えている裏山に探るような視線を向けた。

その日から、かれらは男の家に泊りこんで戸外の気配をうかがっていた。羆が餌のある場所に繰返しやってくる習性を知っていたかれらは、羆が必ず家の近くに姿をあらわすとかたく信じているようだった。しかし、羆はそれきり姿をみせず、馬の嘶くこともなかった。

かれらの眼には倦《う》んだ光がただようようになり、四日後、羆が遅れた冬ごもりに入ったのだろうと男に言い残して、銃を肩に三毛別へ帰っていった。

羆が男の家のトウキビを二度にわたって食い荒した話は、渓流沿いの家々にもつたえられた。が、それは村落の穏やかな空気をかき乱すこともなかった。むしろかれらは、羆を仕とめる機会をのがした三毛別の老人たちと肉を分けてもらうことのできなかった男の家族の不運を話題にしたにすぎなかった。

本格的な降雪期が訪れ、積雪が増した。羆の足跡はその後村落の附近でも眼にすることはなく、羆のことを口にする者もいなかった。

渓流が雪におおわれはじめた頃、村落では男たちの手で協同作業がはじめられていた。それは、厳冬期に漁場へ出稼ぎにゆく男たちに課せられた最後の仕事であった。村落から三毛別方向へ赴くには、二キロメートル下流の本流に架けられた木橋を渡らねばならぬが、雪がその橋の通行を不可能にした。それを補うために、男たちは、冬期に北海道の各地で仮設される氷橋《すがばし》と称される橋を村落と三毛別との境の渓流に架ける。まず丸太で橋の骨組みを整えてから枝を敷きつらねて、周囲を雪でかためる。雪はたちまち凍結して密度の濃い氷に化し、翌年の融雪期まで馬橇《ばそり》の往来にも十分に堪える堅固な橋になる。その氷橋を架ける時期がやってきたのだ。

十五戸の家から一名ずつ男が出て、山林から木材の伐り出しがはじまった。かれらは、深い雪をかき分けるようにして山肌を這い上ると、手頃な樹木の幹に鉞《まさかり》の刃をたたきこむ。鉞の音が村落内にひびき、それがやむと雪煙をまきあげて樹木の倒れる音が起った。

樹木の枝をはらい、山の傾斜をひきずりおろして橋の形に組む。年に一度の協同作業なので、かれらの間からは明るい笑い声がしばしば起った。その年の作物の収穫は前年よりも良く、越冬に支障はない。故郷を出てから多くの苦汁をなめて漸《ようや》く安定した生活を楽しむようになったかれらは、互に寄り添うような親密感をいだき合っていた。

十二月九日も、早朝から作業がはじまった。丸太の伐り出しは終って、その上に敷きならべる枝集めがおこなわれていた。積雪は六十センチほどで、渓流の岸に近い部分には雪が盛り上り、中央部に水の輝きがみえるだけだった。空は、どんより曇っていた。

午前九時半ごろ、下流方向から脚の太い栗毛《くりげ》の馬に乗った男が、渓流沿いの雪道をのぼってきた。犬の毛皮で作ったチャンチャンコを着たその男は、隣接の三毛別開拓村落の農夫で、まだ使用可能である下流の木橋を渡ってきたのだ。

かれは、不精髭《ぶしょうひげ》におおわれた顔に笑みを浮べて近づいてくると気さくに声をかけた。

男たちは、作業の手をとめて親しげな眼を向け、道をあけた。三毛別は屯田兵《とんでんへい》時代からの古い開拓村落で、六線沢の者たちはかれらに先住者としての敬意をいだいていた。それに、人との接触の少いかれらは、隣接の村落からきた顔見知りの農夫になつかしさも感じたのだ。

一人の男が行先をたずねると、農夫は、

「石屋に挽臼《ひきうす》をとりにゆく」

と、答えた。

渓流の上流には手先の器用な男が住んでいて、農耕の暇をみては渓流で掘り起した石を家に運び入れて細工をほどこす。最も多く作るのは墓石で、碑面の戒名も巧みに彫る。その他、挽臼なども依頼に応じて刻むので、六線沢以外に三毛別の者たちからも重宝がられ、いつの間にかかれは石屋という名で呼ばれるようになっていた。その男に頼んでおいた臼を引き取りにゆくのだという。

農夫は、男たちの眼に見送られて馬を上流へ進めていった。

曇った空から、かすかに粉雪が舞いはじめた。馬は、白い呼気を吐きながら長い毛におおわれた脚で力強く雪をふみ、渓流沿いの道をのぼってゆく。汗にぬれた馬体からは、うっすらと水蒸気が湧《わ》き出ていた。

五百メートルから一キロほどの間隔で、道の両側に草囲いの小屋が立っていた。馬の近づく気配に気づいたらしく、窓の蓆《むしろ》の間から女や子供の顔がのぞく。氷橋作りに男たちは出ていて、どの家にも女子供や老人しかいなかった。

しばらくすると、道の右手に一軒の家が見えてきた。それは、島川幹男という男の家であった。

　農夫の眼が、その家に据えられた。他の家よりも建坪が広く、六線沢ではただ一軒の板壁でかこわれた家であった。

　三毛別には板壁の家もあったが、大半が草囲いであった。草で囲っただけの家では間隙《かんげき》から寒風がしのびこみ、寒気が増せば草の茎も葉も針の束のように凍りつく。春になると、それらは一斉に水蒸気をあげて家を淡く煙らせるが、融《と》けた水が家の中に流れこんで土間を泥濘《でいねい》のようにしてしまう。

　島川が、今年の春草囲いの壁を取り払って板張りにしたという話は、三毛別にも伝えられた。費用と労力を必要とするその改装を、入植して間もない島川が果したことは人々を驚かせた。かれらは、漁場に出稼ぎに行った島川が酒も飲まず賭《か》け事に手を出すこともしないで改装費を捻出《ねんしゅつ》したことを知った。

　農夫の眼には羨望《せんぼう》の光がうかんでいた。酒好きのかれの胸に、日常の浪費を悔む感情が湧いた。板壁の木肌は新しく、家の内部にみちているはずの煖気《だんき》がうらやましく思えた。

　かれは、板壁を見つめながら島川の家の前を通り過ぎた。窓に垂れた蓆の間隙から、かすかに青味をおびた煙が粉雪のちらつく戸外に漂い出ていた。

その家から六百メートルほど上流に、石屋の家があった。かれは、馬からおりると手綱を路傍の樹木につなぎ、入口の蓆を排して家の中に入った。

雪のまばゆい反射の中をやってきたかれには、家の内部が闇《やみ》に近く感じられたが、土間で石を刻む男の姿が淡く浮び上ってみえた。

農夫は、土間に置かれた石の上に腰を下すと、

「氷橋の仕事には出ないのか」

と、煙管《きせる》をとり出しながらたずねた。

「弟が代りに行っている」

石屋は、農夫の顔も見ずにつぶやくように言うと、鑿《のみ》と金槌《かなづち》を置いて立ち上り、土間の隅に置かれた挽臼をかかえて農夫の前に置いた。

石屋は無口な男で、人とのふれ合いを好まない。その癖、五年前に六線沢への移住者が募られた時、真先にそれに応じて条件のよい区域の貸与を受ける機敏さもみせた。人並の付合いはするが、それも一定の範囲にかぎられ、細心に自分の生活を守ろうとする傾向があった。

かれは、農夫の前をはなれると再び鑿を取り上げて石を刻みはじめた。

石屋の妻が農夫を炉端にみちびき、漬物と白湯《さゆ》を出した。五十歳にもならぬのに髪

は白く顔の皮膚がたるんだ女だったが、声は少女のように甲高く饒舌《じょうぜつ》だった。

農夫は、女の口にするその秋の収穫状況を耳にしながら漬物をつまみ白湯を飲んでいたが、やがて女に金を払い挽臼をかかえて戸外に出ると、荷鞍《にくら》にくくりつけた。

かれは、馬にまたがると雪道を引返した。予想していたよりも臼が形良く作られているのに、かれは満足していた。

かれは、妻が臼をまわし雑穀をひく情景を思いえがいた。臼の回転する重々しい音につれて、細い溝のきざまれた上下の石の間隙から粉状の穀粒がこぼれ落ちる。それを妻は、団子にこねたり、麺《めん》類にしたりするにちがいなかった。

あいつは変り者だが大した奴《やつ》なのだ、とかれは、鑿を槌でたたいていた石屋の姿を思い起しながら胸の中でつぶやいた。

屋根に雪をいただいた島川の家が、前方にみえてきた。

農夫は、挽臼を入手したことで気分がなごんでいた。かれには、往路よりも島川の家が豊かなものにみえ、板がこいの家を持ちたいという願いが一層つのった。木の香のみちた家の中で石臼をまわす妻の姿が想像された。

馬が、雪をふみながら島川の家に近づいた。

かれは、前方の雪道に視線を向けた。そこに往路には眼にしなかった雪の乱れがあった。家は渓流に面し、道に背を向けて立っている。家の板壁は横に長くつづいていて、中央の炉のある居間に蓆のたれた窓がうがたれていたが、その窓の下に物を曳《ひ》きずったような跡が雪の上に印《しる》されている。そして、それは路上を横切って、トド松の密生する山の傾斜に這《は》い上っていた。

かれは、手綱をひいて馬をとめ、あたりを見まわした。周囲は森閑としていて、家の傍を走る渓流の瀬音以外に物音はきこえなかった。

かれは、乱れた雪の一部が朱色に染っているのに気づいたが、かれの顔に不審そうな表情は浮ばなかった。かれは、山から山へ渡り歩く樵《きこり》のオドと称されている老人が、初秋の頃から島川の家に寄食し、六線沢の山林内で仕事をしていることを知っていた。オドは罠《わな》作りが巧みで、おそらく山林の中で仕とめた大きな獲物を曳きずり下し、窓から家の中に運び入れたにちがいないと推測した。

農夫は、雪の乱れを眼で追い、雪におおわれた山林の傾斜を見上げた。風が起っていて、枝葉につもった雪が一斉に散り、それが渓流方向に流れてきている。

馬が、自然に歩き出した。かれは、家の窓を見つめた。蓆の間からかすかに流れ出ている煙がみえた。

馬は、白い呼気を吐きながら逞《たくま》しい足どりで下流方向へくだっていった。

二

村落の者たちの生活は、植物に似た性格を備えていた。萌《も》え出た芽から茎や葉がのび、花をひらかせ、実をむすんで種子を地に落すように、かれらの生活は季節の移り変りとともにあった。それは飽くことのない繰返しであったが、単調な反復はかれらの望むことであり、六線沢の四季はその願いを十分にかなえてくれていた。

植物が、根をつつましく土中に張ってゆくように、かれらも徐々にその地を生活の場として充実したものにさせていた。入植以来、かれらの往《ゆ》き来する渓流沿いの草地は、いつの間にかかれらの足で踏みかためられ、村道とも言うべきものになっていた。また近くの山林の中にも、木を伐《き》り出す男や山菜、茸《きのこ》類を採取する老人、女、子供たちの足跡で、かすかな筋路《すじみち》が入り組んで印されるようにもなっていた。

耕地では、一鍬《くわ》ごとに木の根や石塊《いしくれ》がとりのぞかれ、人や家畜の排泄物《はいせつぶつ》を吸収した土は朽ちた葉もふくんで柔かみを増していた。耕地は少しずつひろげられ、女たちは子を産み、子は背丈をのばしていった。

しかし、かれらの生活は、その地の土壌に仮の根をのばしはじめていたにすぎなかった。植物は、冬の訪れとともに地表から姿を消すが、種子は土の割れ目に入って春の訪れとともに多くの芽をふき出す。それは、土壌との毎年約束された合意によるものだが、かれらはそこまで土の信頼を得るに至ってはいなかった。

村落の者たちは、四年以上も前にその地に入植したが、今もって一個の死者も埋葬することをしていなかった。村落には、いつの間にか二個所に小さな墓標の寄りかたまりができていたが、それらはすべて石屋に刻んでもらった先祖代々之《の》墓としるした石標にすぎず、その下に埋葬死体はなかった。

土との融合は、植物の種子が地表に落ちるように死体を土に帰することによって深められる。人間の集落には、家屋、耕地、道とともに死者をおさめた墓石の群が不可欠のものであり、墓所に立てられた卒塔婆《そとば》や墓石に供えられた香華《こうげ》や家々でおこなわれる死者をいたむ行事が、人々の生活に彩《いろど》りと陰翳《いんえい》をあたえ、死者を包みこんだ土へのつつましい畏敬《いけい》にもなる。

かれらは、土との同化に手を染めたばかりで、村落を囲繞《いにょう》する常緑樹や雑草が逞しい根をはって土の養分を思うままに吸収しているのとは異り、地表からおずおずとわずかな恵みを拾い上げているにすぎなかった。

雪の上に物をひきずった跡を眼にした農夫は、それが村落の得た些細《ささい》な恵みの一つだと解釈した。鹿《しか》の類《たぐい》か肥えた狸《たぬき》を、オドが罠で捕えたにちがいないと思った。しかし、その雪の乱れは、村落の規則正しい営為のリズムを根底からかき乱すものであった。

農夫の乗った馬の足跡がちらつく粉雪に消された頃、上流方向から島川の家に寄宿している樵のオドがいかつい肩に鉞《まさかり》をかついで道をおりてきた。かれは、海岸沿いの町の舟大工の依頼をうけて、漁船の竜骨材の伐り出しをつづけていた。そして、その日も早朝から山に入って仕事をし、遅い午食《ごしょく》をとるためにもどってきたのだ。

かれは、渓流に面した家の入口に近づくと、蓆を排して土間に入った。雪道を歩いてきたかれの眼には、炉に残った薪の炎の色が赤々と映ってみえるだけだった。

かれは、土間におかれた甕《かめ》の水を杓子《しゃくし》ですくって飲むと、鉞を置いた。炉端には、九歳の男の子が坐《すわ》っていた。オドは、藁靴《わらぐつ》をぬぎ、炉端に坐ると薪を加えた。耳を霜焼で赤くはらした子供は居眠りをしているらしく、頭を垂れて身動きもしない。

かれは、炉の近くの床に馬鈴薯《ばれいしょ》が三個ころがっているのに気づいた。それは炉で焼いたものらしく、軍手をはめたままの手で割ってみると中身はよく焼けていて柔かかった。

「おい、食え」

オドは、馬鈴薯を手に子供の肩をゆすったが、子供は眼をさまさない。かれは、薯《いも》を自分の口に入れたが、それは歯根にしみ入るような冷たさであった。

かれは、馬鈴薯を置いたまま眠っている子供に苦笑したが、かれの顔が急にこわばった。子供の胸から膝《ひざ》にかけて、乾いた血のようなものがこびりついているのに気がついたのだ。

かれは、子供の顔に手をかけ仰向《あおむ》かせた。かれの眼が大きくひらかれた。咽喉《のど》の部分の肉がえぐりとられていて、血液がもり上り胸から膝へ流れ落ちている。さらに頭の左側部に大きな穴がひらき、そこから流れ出た血が耳朶《みみたぶ》をつつみ、左肩にしたたっている。

かれは、子供の顔をはなすと土間の隅におかれた鉞に走り寄った。脱獄囚か流浪者《るろうしゃ》が金か食物を奪うために家に押し入り、子供を殺害したにちがいないと思った。

かれは、家の内部をうかがったが、薄暗い家の中に動くものはなかった。

かれは、子供と留守番をしていた島川の妻のことを思い出し、名を呼んでみた。しかし、彼女の返事はなく、家の内部に人の気配は感じられなかった。

静寂と冷気が、かれの体を重苦しくつつみこんだ。かれは、しばらくその場に立ちすくんでいたが、徐々に後ずさりして入口に近寄ると、戸外に出た。雪の輝きに一瞬眩暈《めまい》をおぼえたが、かれは鉞を肩に道を下流方向へ走った。

オドは、三キロ余へだたった氷橋《すがばし》の作業現場に急いだ。途中に点在する家々の窓からは、女や子供がオドの走ってゆく姿を不審そうに見つめていた。

男たちは、焚火《たきび》をかこんで食後の休息をとっていたが、近づいてくるオドの姿に気づいて立ち上った。

「子供がやられた。おっかあがいねえ」

オドは、途切れがちの声で言った。

男たちは顔色を変え、かれの周囲に走り寄った。入植以来死者の野辺送りをしたことのないかれらは、突然のオドの報告に愕然《がくぜん》とした。

島川が走り出し、男たちも木槌や鉞を手にかれの後を追った。

粉雪がちらつく中を、男たちは走りつづけたが、三キロ余の道は遠かった。男たちは、先を行く島川の後姿に視線をそそいだ。絶えず冗談を口にする陽気なかれが無言で後も振返らず走ってゆく姿に、悲嘆の深さを感じた。

島川の家が、見えてきた。かれらは息を喘《あえ》がせて家の前にたどりつき、申し合わせたように足をとめた。が、島川が臆《おく》することなく蓆《むしろ》をはねのけて家の内部に入るのを眼にすると、かれらは、蓆に近づいた。

内部で歯列の間から息のもれるような音がし、それが次第にたかまって激しい嗚咽《おえつ》に変った。かれらは、顔を見合わせると蓆の内部に足をふみ入れた。島川が、炉端に顔を伏している子供の体を抱きしめてゆすっている。子供の体は、まだ硬直していないらしく、頭部がゆらいでいた。

かれらは、その場に立ちつくしていたが、男の一人が、

「おっかあは、どこだ」

と、低い声で言った。

島川が、顔をあげ、子供の体をはなして立ち上ると妻の名を呼んだ。かれは、寝室との境に垂れた紺色の布をはねて中に入った。

男たちもそれにつづいたが、島川が寝室の中央に立ってふとんを見下しているのに気づき、体をかたくした。

かれらは、島川の視線の先に眼を据えた。敷き放しにされたふとんが荒々しく乱れ、布が裂かれて綿が露出している。しかも、その布にはかなりの広さで多量の血がしみつき、箱枕《はこまくら》も朱色に染っていた。

島川が、男たちを振返った。口が薄くひらかれ、眼にうつろな光が浮び出ている。そのうちに顔が急にゆがむと、意味不明のわめき声をあげはじめた。

二人の男が近づき、かれの体に手をかけると抱きかかえるように寝室から連れ出し、居間の隅に坐らせた。島川は、男たちの腕の中でもがき、譫言《うわごと》のような叫び声をあげつづけていた。

他の男たちは、炉端の近くに寄り集って部屋の内部を見まわした。床に敷かれた笹《ささ》の葉の中に小豆が散り、燃えさしの薪がころがっている。島川の妻が炉端で小豆を選別中に不意に襲われ、身の危険を感じて炉の薪を投げつけたにちがいなかった。

室内の荒された情景から、かれらは容易に一つの判断を下した。凶器をもった一人又は複数以上の者が家に押し入り、九歳の少年を殺害し、島川の妻を襲った。寝室の状態から彼女が凌辱《りょうじょく》されたことはあきらかで、さらにその遺体を他の場所に運び去ったのだと推定した。

かれらは、大柄で乳房の張った島川の妻の体を思い起していた。色白の顔に艶々《つやつや》した黒い髪が対照的で、厚目の唇とうるみをおびた眼が、日頃からかれらの関心をひいていた。が、その豊満な体と魅惑的な容貌《ようぼう》が、結果的には彼女に災いをもたらしたのだ、と思った。

かれらの中には、不謹慎にも島川の妻が凌辱される情景を想像する者もいた。彼女は激しい抵抗をしめしたが、それも効果はなく男に犯された。おそらく男は一人ではなく、数人であるにちがいなかった。

「おい、見ろ」

一人の男が、窓を凝視した。

蓆の垂れた窓の枠板《わくいた》がはがれ、新しい木肌をのぞかせた裂け目に血がしみついている。かれらは、窓に近づいた。こびりついた血に黒い藻《も》のようなものがまじっている。それは、根からぬけた数十本の長い毛髪だった。髪が板の破れ目にからまって強くひかれたために、ぬけたものにちがいなかった。

かれらは、窓から島川の妻の体が運び出されたことを知ると同時に、闖入者《ちんにゅうしゃ》の為体《えたい》の知れぬ力の強さにも気づいた。

かれらは、顔を見合わせた。逃げ出したい衝動がかれらを襲ったが、それを踏みとどまらせたのは、得物《えもの》を手にした十六人の男が集っているという意識であった。

一人の男が、ためらいながら蓆をまき上げて窓の外をうかがった。視線が雪の上に据えられ、徐々に前方の山林に伸びた。

粉雪が舞っていて雪の表面の乱れは消えていたが、わずかなくぼみが太い筋になって窓の下から路を横切り、トド松の林立する山肌に這《は》い上っている。北国の日没は早く、林の中はわずかに昏《く》れはじめていた。

「クマだ」

男の口から、低い声がもれた。

かれらは、破れた窓にこびりついている長い毛髪に再び眼を向けた。多くの毛髪を根から引きぬいたその異様な力は、人間の体力の範囲をはるかに越えている。

東北地方からの移植者であるかれらには、羆《ひぐま》が恐しい肉食獣であるという意識は薄く、熊《くま》はどことなく愛らしく、動作の飄々《ひょうひょう》とした動物のようにも感じていた。しかし、渡道して以来かれらは、多くの先住者たちから羆が内地の熊とは異った野生動物であることを知らされていた。内地の熊が最大のものでも三十貫（一一〇キロ余）程度であるのに、羆は百貫を越えるものすらある。また内地の熊が木の実などの植物を常食としているのとは異って、羆は肉食獣でもある。その力はきわめて強大で、牛馬の頸《けい》骨《こつ》を一撃でたたき折り内臓、骨まで食べつくす。むろん人間も、羆にとっては恰好《かっこう》の餌《えさ》にすぎないという。

かれらは、他の村落の者たちから羆が人を襲って食い殺した話や、墓地の埋葬死体をつぎつぎに掘り起して食い荒したことなどを耳にしていた。その頭数は多く、道庁は毎年頻発《ひんぱつ》する被害を防ぐ手段として、一頭に五円の奨励金を出して射殺するよう呼びかけているという。

そうした話を耳にしていたかれらは、羆がそれまでいだいていた熊という概念とは異質のものであることに気づいていたが、それに対する恐怖感は淡かった。内地の熊がそうであるように、羆が人に被害をあたえるのは人間が不必要に刺戟《しげき》した場合にかぎられると思っていたのだ。

しかし、子供の咽喉をえぐりとって絶命させ、殺害した島川の妻の体を運び去った行為を眼にしたかれらは、羆が凶暴な肉食獣であることを実感として知った。

戸外に暮色がひろがり、山林はすでに薄暗くなっていた。かれらは、血の気を失った顔で立ちすくんでいたが、一人が冷くなった子供の体に手をかけると、他の者も手を貸して、あわただしく遺体を寝室に運んでふとんに横たえた。

「いずれにしても、日が暮れてはどうにもならない。ひとまず全員引揚げて、明朝島川のおっかあを探そう」

年長者の言葉に、他の者たちもうなずいた。かれらは、一刻も早くその場をはなれたかった。

島川は、居間の隅に坐りこんでいた。男たちは、かれ一人を残すこともできず、腕をとって体を起させると、ひきずるように戸外に連れ出した。

かれらは、一団となって雪道を急いだ。夜の色がかれらの体をつつみはじめた。かれらは、肩を寄せ合いながら五百メートルほど下流にある明景安太郎という男の家に入った。

雪はやみ、闇《やみ》が村落をつつみこんだ。

男たちは、明景の家に仮泊して夜明けを待ち、その間に村落の家々に事故の発生をつたえて厳重に警戒するよう呼びかけることを定めた。

しかし、男たちは、闇の道をたどって点在する家々におもむくことを恐れた。窓枠にからみついていた数十本の毛髪を眼にし少年の遺体を見たかれらは、羆に襲われれば死以外にないことを知っていた。しかも、羆は山林中にひそんでいて夜も自由に行動し、途中で羆と出会うことも十分に予測された。

かれらはためらっていたが、一人が堪えきれぬように腰をあげると、数人の男がそれにならった。老人、女、子供だけで留守居をしている家族のことが気づかわれたのだ。

臆した表情で坐りつづけていた者たちも、男たちの大半が家から出てゆくと、不安にかられたように腰をあげた。羆に襲われることを防ぐため隣家の男同士が二人ずつ組んで、一人が松明《たいまつ》、一人が物をたたき鳴らしてそれぞれの家に向うことになった。

炉で松明の火が点ぜられ、男たちは、明景の家で手当り次第に金属製の容器をあさった。石油カンが引き出され、鍋《なべ》や釜《かま》まで持ち出された。そして、鍬《くわ》や鎌《かま》を手につぎつぎと路上へ出ていった。

雪道に、金属をたたき鳴らす音が一斉に起った。それは、二つの流れになって渓流の上流と下流方向にわかれて遠ざかっていった。

松明の火は、渓流沿いの蛇行《だこう》した道をゆれながら動いていった。それらは、雪に埋れた家の中に入って消えると、すぐに雪道に出てきて金属をたたき鳴らす音とともに次の家へ向う。家々から明るい光が、戸外に流れ出るようになった。男たちの指示で、家の者たちが炉に大量の薪を加え、ランプの燈心《とうしん》をのばしたのだ。

松明の火は、雪道を往《ゆ》き交い、三時間後には明景の家にすべて吸いこまれ、村落は再び濃い闇と静寂につつまれた。

雪が再び舞いはじめ、時がたつにつれて激しさを増した。

男たちは、眠ることもせず炉に薪を加えつづけた。かれらは、猟銃を所持していないことに心細さを感じていた。農耕のみに従事するかれらは、土を起し、種を播《ま》くことに終始し、銃を買い求める経済的な余裕などはなかった。農耕作業の余暇に鳥獣を山中で追うのは、隣接の三毛別の農夫たちのような十分に肥えた耕地を所有する者たちのみに許されることで、そのような境遇に身を置くのはまだかなり先のことであった。

窓の裂け目にはりついた毛髪を眼にした男たちは、鉞《まさかり》や鍬が羆に対抗する道具としてほとんど効果のないことに気づいていた。かれらが身を守る唯一《ゆいいつ》の手段は羆の接近を防ぐことだけで、それを可能とするのは、金属製の容器を叩《たた》くことと火を熾《おこ》すことだけであった。

かれらは、馬や犬が火を極度に恐れることから考えて、炎が羆の来襲を防止してくれるにちがいないと信じた。もしも羆が姿をあらわしても、燃えさかる薪を次々に投げつければ炎のまばゆい輝きと火熱に辟易《へきえき》して引き返してゆくにちがいないと思った。

かれらは、黙々と薪を加えつづけた。その大量の薪の消費は、これからの長い越冬期の生活を根底から脅《おび》やかすものであったが、羆に対する恐怖にはうちかつことができなかった。

火に対する信頼がかれらを辛うじて支えてくれていたが、それ以外に一つの救いに似たものがかれらの胸の中にひそんでいた。

羆は、島川の妻の死体を山中に運び去って食いあさっているにちがいなかった。島川の妻の豊満な肉体は羆の食欲をみたすのに十分で、食物を食い終った家畜がさらに餌をあたえようとしても顔をそむけるように、飽食した羆は少くとも数日間は再び人を襲うことはあるまいと思った。つまり島川の妻は一個の犠牲で、それによって村落の他の者たちに災いのふりかかることはないはずだった。

かれらは、火の色を見つめながら平静な気持になるようつとめていたが、恐怖感は去らなかった。夜の闇と静寂がかれらの不安をつのらせ、しばしば窓に垂れた蓆に眼を向けた。その間隙《かんげき》には黒い鉱物のような闇がはりついていて、わずかに内部に充満した煙の流れ出るのがみえるだけであった。

闇の色がうすれはじめ、野鳥の啼《な》き声がきこえてきた。窓の外をうかがうと、雪はやんでいたが、かなりの量の雪がほの白く積っているのがみえた。いつもと同じ夜明けであった。男たちの顔に、かすかな安堵《あんど》の色がうかんだ。

かれらにとって手がけねばならぬことは、島川の妻の遺体を探し出し、収容することであった。が、それには、羆の後を追わねばならず、銃をもたぬかれらには危険であった。かれらは、一名を苫前村の役場に急報させ、他の二名を隣接の三毛別村落に派してそれぞれ応援を乞《こ》うことに意見が一致した。

村役場に赴く役割を課せられたのは、林野管理局員や役場の吏員と接触の多い斎田石五郎という男であった。かれは、男たち全員から推されたが、役場に行くことを容易に承諾しなかった。役場までは三十キロ以上も距離があって、往復の途中で一泊しなければならない。島川の妻子が殺害された直後であるだけに、家族を置いて村落をはなれる気にはなれなかったのだ。

村落の男たちは、責任をもってかれの家族を庇護《ひご》すると強調し、かれを説得した。他の者もそれぞれに家族を持つ身で事情は同じであり、斎田もかれらの意見にしたがわざるを得なかった。

斎田は、三毛別に向う二名の男とともに出発した。かれらは、戸外に出ると、夜の明けはじめた雪道を下流方向にくだっていった。

朝の陽光が、雪におおわれた三毛別の村落にあふれていた。家々からは炊煙が立ちのぼり、犬の吠《ほ》え声が所々で起っていた。

区長は、炉端で家族とともに朝食をとっていた。

かれは、土間に落ちた穀物をついばんでいた鶏が、突然啼き声をあげて逃げる気配に顔をあげた。土間に、二人の男が立っていた。かれらは、寒気でこわばった口を動かして事故の内容をつたえた。

区長は、腰をあげた。かれは三毛別の区長であると同時に、六線沢の責任者をも兼ねていた。新開墾地である六線沢は、御料農地新区劃《くかく》として三毛別地区に所属していた。

かれは、父が屯田兵として入植して以来、少年時代から開墾に従事し、二十八歳の年に農地を統轄《とうかつ》する役所の指名によって区長に就任した。それから十五年間、かれは共同作業で村落の道路、橋を整備し、初めて田をひらいて米作にも成功し、それを他の者にすすめるなど村落の者たちの篤《あつ》い信望も得ていた。

かれは、六線沢に村落が設けられる時も、三毛別の者たちと協力してすすんで資材を提供し、林野管理局に懇請して夏の収穫期までの食糧給付を受けさせることにつとめた。そうした関係にあったので、かれは六線沢の不幸な事故を黙視することはできなかった。

かれは、六線沢の男たちの救援要請に即座に応じて、家人を月当番の家へ走らせた。村落の伝達方法は秩序正しく定められていて、月当番の家から区長の伝言が各家々につたえられると、それは短時間のうちに村落の端《はず》れの家々にまで達した。

村落内に騒然とした空気がひろがり、鉞、鍬を手にした男たちが区長の家へ走ってきた。その中には村田銃をたずさえた猟経験のある五名の男たちもまじっていた。

区長は、集った三十一名の男たちに事故の内容を伝え、ただちに救援に赴くことを告げた。男たちは同意し、家の外に出た。

長柄の鎌をかついだ区長を先頭に、男たちは村落を出発した。一人が手拭《てぬぐい》で鉢巻をしめると他の者たちもそれにならい、雪道を急いだ。やがて氷橋《すがばし》の傍《そば》の渓流を一列になって渡ったかれらは、支流沿いの道を上流に向って進んだ。

明景の家がみえる所まで近づくと、案内に立っていた二人の六線沢の男が走って明景の家に入った。家の中から男たちが路上に飛び出し、区長たちを迎えた。

区長を指揮者に四十七名の男が統一行動をとることになった。虚脱状態にある島川を明景の家に残し、全員で羆《ひぐま》の足跡を追うことに決定した。

三毛別の男たちは、張りのある声で六線沢の者たちをはげまし、一団となって雪道を上流方向に進みはじめた。村落が営まれてから、これほど多くの男たちが渓流沿いの道を歩いたことはなく、六線沢の者たちには道がいつもの道とは異っているようにさえ感じられた。

渓流をへだてて一軒の農家がみえ、さらに三百メートルほど進むと板壁作りの島川の家が近づいてきた。男たちは足をとめると、あたりに視線を配りながら注意深く歩み寄っていった。

六線沢の男が、道に面した板壁の裂けた窓枠を無言で指さし、羆の足跡が消えた山林をさし示した。前夜の降雪でトド松の密生した山の傾斜は、前日よりも白さを増していた。

板壁に沿って曲ると、数名の六線沢の男たちがためらいがちに入口に近づき、垂れ蓆《むしろ》の内部に身を入れた。その後から、区長と銃を手にした三毛別の男たちが家の中に足をふみ入れた。

内部は前日と変りなく、凍《し》みるような冷気がひろがっていた。床には小豆が散り、燃えさしの薪がころがっていた。

かれらは、寝室の中をうかがった。綿のはみ出たふとんの上には、島川の子供の遺体が仰《あお》向《む》けに横たわっていた。咽喉《のど》の周辺に盛り上った血は凍りつき、鈍く光っていた。

かれらは、炉の周囲に立って髪のからみついた窓を見つめた。

深い静寂の中で、不意に歯車のきしむような音が起り、柱にかかった時計が音高く時を打ちはじめた。かれらは、時計に眼を向けた。油煙にくすんだガラス板を通して、短針がローマ数字の九を正しくさしていた。

六線沢の男たちは、時計の針を複雑な表情で見つめた。オドが氷橋の作業現場に走ってきたのは前日の一時過ぎで、その瞬間からかれらには時間の意識が失われていた。

その間、かれらは雪道を走り、子供の遺体と窓枠にからみついた毛髪を眼にし、日没後、松明をかかげ金属製の容器をたたいて村道を往き来した。そして、夜明けとともに人を派し、救援に来た三毛別の男たちと島川の家に再び足をふみ入れた。それは、時間の流れとは無関係の、あわただしく体を動かしつづけた行為にすぎなかった。短針の先端がさすⅨというローマ数字は、時間が重々しく流れていたことをしめしていた。かれらは、前日の午後から自分たちの生活のリズムが完全に失われてしまっていることに気づいた。

九時か、と男たちは胸の中でつぶやいたが、それはなんの意味ももたなかった。六線沢の男たちの関心は、自分たちをふくめた五十名近い男の存在と五挺《ちょう》の銃にあった。それは羆を追うのに強力な集団であり、羆を斃《たお》すのに十分な武器に思えた。

行くぞ、という区長の声に、五名の銃携行者がつづき、他の男たちはその後に従った。かれらは島川の家を出ると雪道を横切り、トド松の密生した山の傾斜にかかった。

山林内の雪は深く、かれらの体は膝上《ひざうえ》まで雪に没した。かれらは樹幹の間を縫うようにしてのぼっていったが、時折りトド松の枝から雪塊が音を立てて落下すると歩みをとめ、しばらくの間周囲をうかがった。射手たちは、弾丸を装塡《そうてん》した銃を手に区長の後につづいていた。

荒い息が男たちの間から起り、額に汗が光りはじめた。いつの間にか、村落が下方に沈んでみえるようになった。

山林の傾斜をのぼりはじめてから三十分ほどすぎた頃、突然、前方に眼を向けた区長の口から鋭い声がもれた。男たちは足をとめ、区長の視線の方向に眼を据えた。

傾斜の三十メートルほど上方に、雪がなだらかな丸味をおびて盛り上り、頂きに粉雪の附着したトド松が立っている。その太い幹の傍に枯草の集落のようなものがみえ、それがかすかに動いていた。

区長が低い声をあげ長柄の鎌をかまえると、銃携行者があわただしく前に進み出て銃床を肩に押し当てた。

茶褐色のものが動きをとめると、急に盛り上った。うるみをおびたような小さな眼が、焦点の定まらぬように光ってみえた。男たちは、その巨大さに眼をみはった。それは馬体よりもはるかに大きく逞《たくま》しい体であった。

射手たちが、一斉に引金をひいた。が、軽い金属音がつづいてしただけで、山林の静寂を破る発砲音が起ったのは一挺の銃からだけであった。手入れを怠り放置されていた他の銃は、弾丸が装塡されてはいたが不発だった。しかも、一挺の銃から発射された弾丸も、冷静さを失った射手の照準の狂いで、かなりはなれたトド松の幹にそれた。

銃声に茶色いものが一瞬硬直したように動かなくなったが、その毛がふくれ上ると、突然、雪を蹴散《けち》らしながら駈《か》け下ってきた。

男たちの間から叫び声が起り、かれらは先を争って雪におおわれた傾斜を降りはじめた。その後方に地響きに似た羆の足音と荒い呼吸音が迫り、男たちは雪の中を顚倒《てんとう》しながら駈けくだった。

雪煙は、樹幹の間を縫って男たちの背後に接近したが、傾斜の中途までくると停止し、再び早い速度で上方のトド松の方向に駈けあがっていった。

男たちは、叫び声をあげながら樹幹の間をぬけて道の上に出た。かれらの体は雪におおわれ、中には鍬《くわ》や鉞を捨ててしまっていた者もいた。

羆が反転したことを知ったかれらは、荒い息をついて山林の傾斜を見上げた。眼になじんだトド松林が、見知らぬ山林のように変容してみえた。

かれらは、雪煙が下降してくるような予感におびえ、視線を傾斜に走らせていた。それは、野獣のまき上げるものというよりは、颶風《ぐふう》に似たものが雪を吹き散らして走り下ってきたような速度とたけだけしさを感じさせた。

区長をはじめ男たちは顔を青ざめさせて立ちつくしていた。かれらは、自分たちの結束がすでにくずれてしまっていることを感じていた。四挺の銃は不発に終り、わずかに発砲した銃の弾丸も大きくそれた。それは、かれらの唯一《ゆいいつ》の拠《よ》り所であった銃に対する不信と、射手の技倆《ぎりょう》に対する不満として残された。

四囲に深い静寂がもどり、時折り風が渡るとトド松の枝葉から雪塊が落ちる。かれらは、口をつぐんで山の傾斜に眼を向けていた。

無力感が、かれらを襲った。茶色いものは、顔も岩石のように大きく、胴体も脚も驚くほど太く逞しかった。剛毛は風をはらんだように逆立ち、それが地響きとともに傾斜を降下してきた。その力感にみちた体に比して、かれらは自分たちの肉体が余りにも貧弱であることを強く意識した。

一人が覚束《おぼつか》ない足どりで歩き出すと、他の者たちもそれにならった。かれらの足は自然に明景の家へ向った。一夜無事にすごしたその家が、安全な場所に感じられたのだ。

明景の家は狭く、五十人近い男たちを入れるには不十分で、半数以上の者たちは戸外に屯《たむ》ろし、家の裏手に置かれた甕《かめ》の水をすくって飲んだりしていた。

かれらは、唇をふるわせながら言葉を交し合った。対策を立てねばならなかったが、かれらにはなにから手をつけてよいかわからなかった。とりとめもない言葉が、かれらの口からもれたが、他の者の耳には入らなかった。

しばらくすると、かれらは落着きをとりもどし、三毛別の区長を中心に寄り集った。かれらは、まず銃の整備を口々に訴えた。茶色いものを眼にしたかれらは、銃以外に対抗できるものがないことを知ったが、銃の機能は発揮されず、それは銃携行者の怠慢として責められるべきであった。

不発に終った銃をもつ四名の者は、男たちの険しい視線にさらされて頭を垂れ、銃の手入れを十分におこなうことを誓った。

区長は、とりあえず男たちの集合所を他の家に移すよう指示した。男が全員寝泊りできる家が欲しかったのだ。その提案を受け入れて、六線沢の者たちは、渓流の対岸にある中川孫一の家に交渉し、その家を集合所に定めた。

かれらは、連れ立って渓流にかかった丸木橋を渡って中川の家に移動した。

銃携行者たちは、炉端に腰を据えると細い鉄線にボロ切れをまいて銃腔《じゅうこう》内の清掃をはじめた。布には黒ずんだ煤《すす》のようなものが附着して銃口から出てくる。かれらは、銃腔の内部を陽光にかざして何度ものぞいた。

男たちは、かれらの作業を無言で見つめていた。薬室がみがかれ、照星にこびりついたカスがとりのぞかれた。男たちの眼には、銃が十分にその機能を発揮して欲しいという強い願望の色が浮んでいた。

手入れが終ると、区長は銃携行者に試射を命じた。五名の射手は、銃を手に家を出ると渓流の傍に赴いた。男たちは、その周囲に集った。

弾丸が装塡され、一人の射手が銃口を上方に向けて引金をひいた。鋭い発射音が起って、強い刺戟臭《しげきしゅう》のある硝煙が流れた。

さらに他の射手が銃をかまえ、再び発射音が空気の層をたたき、つづいて他の銃からも発射音がとどろいた。男たちの眼はやわらぎ、歯列をみせて笑いの表情をうかべる者もいた。

かれらは、銃携行者をとりかこむようにして家の内部に引返し、五名の男が手にした銃を見つめた。連続的に空気をふるわせた発射音は、かれらの銃に対する信頼感をとりもどさせていた。

かれらは、引金をひくと同時に点火した装薬のガス圧に押された弾丸が銃腔の内部を回転しながら突進し、それが空気中を直進して羆の体内に食い込む光景を想像した。その弾丸は、剛毛におおわれた皮膚をうがち、筋肉を破り、骨をくだいて内臓を引き裂くにちがいなかった。全弾命中はおぼつかなくとも、五挺の銃で一斉射撃をすれば、少くともその中の一弾は命中するだろうと思った。

漠然とした意識ではあったが、かれらは歴史の恵みに身をひたしているのを感じていた。草がこいの小舎《こや》に住むかれらは、穴居生活をしていた時代の人間たちと大差ない生活をしている。それは、地上に棲息《せいそく》する動物の一種属として、自然の変化に容赦なくさらされた生活であった。穴居していた人間たちは、強大な力をもつ肉食獣の食欲をみたす存在にすぎなかったはずである。が、生命を守る手段として刀槍《とうそう》を手にし、遂《つい》には銃器を得ることによって、獣類と対抗し打ち克《か》つことができるようになった。指先で引金をひくというかすかな動作で野獣を斃すことのできる銃が、男たちには神秘的な道具に感じられた。

すでに村役場へは人が派せられ、多くの男たちが明日の午後には到着するにちがいなかった。それらの救援隊もむろん多数の銃器類を携行しているはずで、羆を仕とめることは容易に思えた。

男たちの間に、安らいだ空気がひろがった。かれらは、中川の家で提供された芋を午食として食べ、五名の銃携行者を中心に休息をとった。

かれらは、事故の処理について言葉を交した。島川の息子の死は確認され、さらに妻も羆に殺されて山林中に運び去られた。少年の遺体が島川の家の寝室に放置され、妻の遺体も未発見の状態にあることは、死者に対する冒瀆《ぼうとく》であると解された。

六線沢の者たちは、村落にとって初めての死者である島川の妻と息子の遺体を懇《ねんご》ろに回向《えこう》し、埋葬しなければならぬ義務を感じた。遺体を土に帰すことは、入植者であるかれらが土に根を張ることをも意味している。

かれらは、土間の隅に敷かれた蓆の上に膝をかかえて坐《すわ》っている島川に時折り視線を向けていた。かれは、事故が起った直後激しい悲嘆をしめしたが、その後は口もきかずうつろな眼をして坐りつづけている。息子を殺され妻の体を羆に持ち去られたかれの悲しみが、男たちにも十分に理解できた。

「島川のおっかあをとりもどさなくちゃ」

一人が、つぶやくように言った。

それは六線沢の者たちの総意を代弁したものであったが、島川の妻の遺体を探すには、再び雪をふんで山林の傾斜をのぼってゆかねばならない。そこには、茶色い剛毛におおわれた羆がひそんでいる。

かれらの顔に、おびえの表情がうかんだ。地響きとともに雪煙をまきあげて突き進んできた羆の記憶がよみがえった。かれらは低い声で協議をはじめ、区長に死体を収容するため人を出したいと申し出た。区長は同意し、六線沢の者たちの中から三名の屈強な男をえらばせ、それに三毛別の五名の銃携行者を同行させる、と言った。

八名の者が家を出ると、他の者たちもそれにつづいた。かれらは、丸木橋を渡って渓流の上流へ向い、島川の家の前で足をとめた。

日はすでに傾き、山林の内部は薄暗くなりはじめていた。

五名の射手と三名の大鎌《おおがま》を手にした男たちが、山林の中に足をふみ入れた。かれらは、林の中を見上げながら傾斜をのぼってゆく。しばしば足をとめ、身を寄せ合って周囲の気配をうかがっていた。

区長たちは、渓流のかたわらに立って男たちの姿を見つめ、男たちが山林の中で足をとめる度に息をひそめた。今にも羆《ひぐま》が男たちの前方に姿を現わすのではないかという予感におびえていた。

男たちの歩みは遅々としていたが、黒い塊になって樹木の間を縫うようにのぼってゆき、やがて、その日の朝羆が姿を現わした小高い雪の盛り上りに近づいた。区長たちは、樹幹の間からみえるトド松の附近に眼を据え、男たちの動きを見つめていた。

男たちは、左方に迂回《うかい》し、立ちどまるとトド松の大樹の方向に顔を向けて長い間立ちつくしていた。五人の射手は、銃床を肩に据えて銃口をその方向に向けていた。

「いるらしい」

区長の傍で傾斜を見上げていた男が、低い声でつぶやいた。

「やるぞ」

他の男も、五人の射手の姿勢を見つめながら言った。傾斜の上方の男たちの気配から、今にも発射音が起るような予感がした。羆は眠っていて、男たちの接近にも気づかないのではないかとも想像された。

しかし、発射音は起らず、男たちがトド松の方向に動きはじめるのがみえた。射手は銃をかまえ、他の男たちは大鎌をふりかざして小刻みに近づいてゆく。区長たちは、かれらの動きを凝視した。

やがて射手が構えを解き、男たちがトド松の傍で足をとめるのがみえた。かれらは、一個所に寄りかたまってトド松の下で身をかがめている。そして、何か作業をしているようだったが、やがて傾斜を連って下りはじめた。

「仏を見つけたようだな」

一人の男が、言った。

たしかに男たちは、袋のようなものを引きずっておりてくる。それは、遺体を包む目的で携行していった厚い布であった。

射手が後方に銃を擬しながら、早い速度で降りてくる。近づいてくるかれらの顔は、青白くこわばっていた。

傾斜をおりてきたかれらを、区長たちがとりかこんだ。

「少しだ」

大鎌を手にした男が、眼を血走らせて言った。

「少し？」

区長が、たずねた。

「おっかあが、少しになっている」

男が、口をゆがめた。

区長たちは、雪の附着している布包みを見つめた。遺体にしては、布のふくらみに欠けていた。

大鎌を雪の上に置いた男が、布の結び目をといた。区長たちの眼が、ひらかれた布の上に注がれた。

かれらの間から呻《うめ》きに似た声がもれた。顔をそむける者もいた。それは、遺体と呼ぶには余りにも無残な肉体の切れ端にすぎなかった。頭蓋骨《ずがいこつ》と一握りほどの頭髪、それに黒足袋と脚絆《きゃはん》をつけた片足の膝下《ひざした》の部分のみであった。

「これだけか」

区長が、かすれた声でたずねた。

男たちが、黙ったままうなずいた。

島川の家で空箱を利用した粗末な棺が二個作られ、それに島川の妻と息子の遺体が納められ寝室に運びこまれた。

日没とともに寒気が増し、地表をおおう雪が凍りはじめた。渓流沿いに点在する家々の炉では薪が焚《た》かれ、ランプの灯がともされた。

かれらは闇《やみ》を恐れたが、その夜は村内で初めての死者を悼《いた》む夜であった。二人の死は、島川の家だけではなく村落全体の悲しみでもあった。かれらは、世の慣習に従ってその夜を通夜《つや》と定め、喪主である島川と村落の主だったものが、二個の遺体の夜守りをすることになった。また各家々では、死者の冥福《めいふく》を祈るために灯明をともし、線香をくゆらした。

島川の妻の遺体の無残さは、各家々につたえられた。それは、家族たちに激しい恐怖と悲しみをあたえたが、同時にかれらにひそかな安堵《あんど》もいだかせていた。遺体の大半が失われていたことは、羆が十分に食欲をみたしたことを意味している。山林中に羆の姿がみえなかったのは、羆が飽食して山中深く去ったためだと想像された。

羆が再び襲ってくる危険は薄く、村落に残されたのは死者に対する儀式のみで、三毛別の村落からやってきた者たちもその儀式に加わった。

家々では酒が出され、男たちは炉をかこんで茶碗《ちゃわん》を傾け、塩漬けにした魚を焼いて食べた。また鉄鍋《てつなべ》に米と水が入れられ、女や子供たちは、飯の煮えるのを見守っていた。

米飯は、村落の者にとって得がたい食物であった。かれらが口にする主食は、切りひらいた耕地で収穫される粟《あわ》、キビ、玉蜀黍《とうもろこし》、芋などにかぎられ、米はほとんど無縁の物であった。

かれらは、苫前村の中心部に赴いて年に一回少量の米を買い入れてきた。それは、東北地方出身者であるかれらの米に対する強い執着によるもので、価格は驚くほど高かった。その地方一帯には水田がわずかしかなく、漁港に荷揚げされる外国産米が一般に使用されているにすぎなかった。その米には石油の匂《にお》いが濃くしみついていたが、六線沢の者たちには雑穀とは比較しがたいほどの美味な食物に感じられた。

かれらが、米を炊《た》いて食べるのは正月一日と盂蘭盆《うらぼん》の中日の朝食のみにかぎられ、老人や女子供たちはその日のくるのを待ちこがれていた。

その夜、だれの口からともなく通夜には米飯を食べるのが習わしだという言葉がもれ、それは各家々の者に容易に受け入れられた。にぎやいだ空気が、生れた。主婦は、木箱から米をすくい、鍋に入れてとぎ、水を張って炉の炎の上にかざした。

喜びを露骨にしめしたのは、子供たちであった。正月は二十日後に迫っていたが、思いがけずそれ以前に米飯を口にできることを知って興奮した。かれらは、無心にはしゃいで家の中を走りまわり、鉄鍋の中で躍る白い穀粒を見つめていた。

やがて飯の炊けた匂いが家の中にみち、茶碗に米飯が盛られた。子供たちは、眼をかがやかせて飯を少量ずつ箸《はし》でつまんで口に入れる。それは柔かくねばりけがあって、舌に豊かな甘さとなってひろがっていった。

三毛別からきた者たちにも米飯が出され、中にはキビを練って団子を作る家もあった。村落は、つつましい賑《にぎわ》いにつつまれた。

島川の家では、親しい男たちが集って通夜を営んでいた。

奥の寝間の壁ぎわに二個の棺が並べられ、その傍に燈心《とうしん》を長くのばしたランプが置かれていた。棺の前には灯明がともされ、線香が灰をみたした小箱に数多く突き立てられていた。

通夜に集っていた者たちは、島川に妻の遺体を眼にさせぬよう気をつかい、島川も棺の蓋《ふた》を開けることはしなかった。かれは、眼をうるませて、線香の煙を絶やさぬように寝間に入ったり、炉端に集る客たちの座に加わったりしていた。その席にも米飯と酒が出され、男たちは酒をくみ合った。薪は絶え間なく加えられ、家の温度はたかまって、かれらの額には汗も湧《わ》いていた。

時折り入口の垂れ蓆《むしろ》をはねて、通夜の客が訪れてきた。かれらは数人で松明《たいまつ》をかざして夜道をやってくる。羆に襲われぬための集団行動だったが、かれらの顔には警戒心も薄らいでいた。

通夜にふさわしい夜だ、とかれらは思った。月も星も出ていなかったが、風はなく空気が凍りついたように静止している。家々からは炉の火とランプの明るい光が戸外の雪を明るませ、雪道を通夜の客の松明が往《ゆ》き来する。それは、死者の霊を悼むのにふさわしい夜景に見えた。

通夜の客の中には、銃携行者もいた。かれらは、焼香をすませると炉端の酒席に加わる。遺体の残骸《ざんがい》の傍に姿をみせなかったクマの話もその席で交されたが、かれらはクマが冬ごもりのために山奥へ去ったのではないかと話し合った。

安らいだ空気がひろがり、通夜の客の中には土間に銃を忘れて他の者と雪道に出てゆく者すらいた。

焼香客の一団が去り、家の中には島川と六名の村落の男が残された。かれらは、薪の炎を見つめながら茶碗にみたされた酒をふくんでいた。家の裏手を流れる渓流の音と、柱時計の時をきざむ音がきこえるだけだった。

男たちは、炉端で何度も柱時計に眼を向けた。時間の観念が、ようやくかれらの意識にもどってきていた。時計の針が、八時三十分をわずかに過ぎた。

男の一人が、酔いによどんだ眼で柱時計を見上げた時、不意に大きな音が静寂を破った。板壁の破れる音がすると同時に、家屋がはね上るように激しく揺れた。屋根に積った雪の落下する音がし、寝間のランプが蹴倒《けたお》されたのか、灯が消えた。

男たちは、立ち上った。かれらには、音と震動の意味が理解できなかった。羆に殺害された二個の遺体の霊が、恨みをふくんで踏み入ってきたのかと瞬間的に思った者もいた。

かれらは、寝室からきこえてくる異様な音を耳にして顔色を変えた。大きな鞴《ふいご》が荒々しく作動しているような音がきこえてくる。それは、巨大な生物の呼吸音にちがいなかった。

かれらの間から叫び声が起り、かれらは思い思いの方向に走った。或《あ》る者は板壁に突き当って顚倒《てんとう》し、他の者は土間に接した馬舎《うまや》に走りこんだ。馬が嘶《いなな》き、農具が倒れた。腰が萎《な》えて土間を這《は》う者もいた。

入口の垂れ蓆の外に飛び出した男が、戸外にあった石油カンを薪で狂ったようにたたきはじめた。男たちは梁《はり》に這い上り、便所に駈《か》けこんだ。

闇は濃く、かれらは羆の所在がつかめなかった。が、野獣の体臭は夜気の中に濃く漂い、その呼吸で空気が激しく揺れ動いているように感じられた。

三百メートル下流の渓流沿いにある中川孫一の家では、三毛別の者や六線沢の男たちが四十名近く集っていた。かれらは、中川の家で出された夜食を食べ、酒をくんでいた。区長は、翌日村役場からやってくるはずの救援隊の者を加え、雪上に残されている足跡をたどって山中深く羆を追い、必ずそれを仕止めようと男たちをはげましていた。

島川の家で起った不意の混乱は、かれらの耳にも達した。かれらには、初め静寂の中からつたわってくる声が、野鳥の群の鳴き交す鋭い声のようにも感じられた。かれらは、顔をあげ耳をすました。人が声をかぎりに歓声をあげてはしゃぎ合っているようにもきこえ、物と物がぶつかり合うような物音もきこえた。

そのうちに、あきらかに石油カンを叩《たた》く音がしはじめ、かれらは変事が起ったことを知り、立ち上った。

クマだという区長の声に、男たちの顔から血がひいた。去ったと半ば信じられていた羆が、附近に身をひそめ、再び村落の家に姿を現わしたことに驚きを感じた。

射手の一人が銃をとると、他の射手もそれにつづいた。その中の一人は、島川の家に銃を置き忘れてきていたので、かれらの所持する銃は四挺《ちょう》だけであった。

射手たちは、弾丸を素早く銃に装塡《そうてん》した。その動きに、他の者たちも思い思いに得《え》物《もの》をつかみ、用意しておいた松明に火を点じた。

戸外に、松明の火が流れ出た。

闇の中から、人の叫び声と石油カンを乱打する音がきこえてくる。区長たちは、その音があきらかに二個の遺体の置かれている島川の家の方向から起っていることに気づいた。

男たちの顔には、一様に戸惑いに似た表情があらわれていた。島川の家では通夜が営まれ、それは死者の霊を悼む行事だが、羆はそうした営みを斟酌《しんしゃく》することなく踏み入った。羆は、食いあさった餌《えさ》の残片の匂いをかぎつけて姿を現わしただけのことだろうが、人間感情とは無縁の羆の動きに、あらためて不気味な恐怖を感じた。

区長たちは、四名の射手を先に立たせて松明をかざし、渓流を渡って雪道を上流方向に進んだ。闇の中から羆が突然姿を現わすことも予想され、かれらは身をかたく寄せ合って歩きつづけた。

夜道を進むかれらの動きは、弱小動物のそれに酷似していた。かれらが信頼を置いているのは四挺の銃と、集団で行動していることであった。弱小動物は、肉食獣におそれわれた折、同類が犠牲になる間に逃げる可能性を見出《みいだ》すため群棲《ぐんせい》しているが、それと同じように身を寄せ合っていることにわずかな救いを見出していた。最後尾を歩く者たちは、しきりに集団の中に身を割りこませようと努め、先頭に体を露出させた者は、他の男の後方に身を置こうとして足ぶみしていた。かれらは、互に体を押し合いながら島川の家に近づいていった。

入口の近くの闇の中に、異様な動きをつづけている二人の男がいた。一人は、雪の中に膝《ひざ》をついて石油カンをたたきつづけ、他の一人は、意味不明の声をあげて一個所を走りまわっている。松明の光に浮び上った石油カンは薪に乱打されたため破れ、走りまわっている男の足もとの雪は乱れていた。

区長たちは、松明をかざして周囲に視線を走らせ、射手たちは引金に指をあてて銃口を向けながら二人の男に近寄っていった。

区長が、二人の男に声をかけた。

しかし、二人の男は錯乱状態におちいっているらしく、白い息を吐きながらゼンマイ仕掛の玩具《おもちゃ》のように同じ動きを繰返している。松明の火に照らし出されたかれらの顔には、驚愕《きょうがく》と恐怖の色がそのまま固着し、能面のように無表情にみえた。

区長は近づくと、かれらの頰に掌を強くたたきつけた。男たちの動きがにぶり、再び区長が平手打ちを加えると、かれらの眼が区長に据えられた。顔に表情があらわれ、それはたちまち歪《ゆが》むと、口から悲しげな声がふき出た。

「クマが出たのか」

区長が言うと、二人の男は、眼を大きく開いたまま何度もうなずき、体を瘧《おこり》のように痙攣《けいれん》させはじめた。

石油カンをたたいていた男が家の裏手の方向を指さした。それは羆《ひぐま》が去った方向らしかったが、そこには濃い闇がひろがっていて、わずかに渓流の音が湧き出ているだけだった。

通夜の席に集っていた者たちの身が気遣われたが、家の内部にふみこむ者はいなかった。かれらは射手を先頭に立てて一団となって家の周囲を一巡した。そして、家の裏手の渓流沿いに深々と印《しる》された大きな足跡が下流方向に消えているのを見定めると、ためらいながら家の中に入った。

松明の火が内部を明るく照らし出すと、天井の梁につかまっている二人の男が土間に降り、さらに便所から三人の男が出てきた。かれらは、例外なく土間に膝をつくと息をあえがせていた。

松明が、寝間の内部にかざされた。二個の棺はくつがえされ、遺体が床にころがり出ていた。その後方の板壁には、大きな破れ目がひらいていて戸外の雪がのぞいていた。

かれらは、破れた板壁を見つめた。六線沢の村落で板がこいの家は島川の家だけだが、その板壁がもろくも裂けてしまっている。羆にとって、それはなんの障害にもなってはいないのだ。

床にころがり出ている島川の妻と息子の遺体は棺におさめた時のままで、遺体をつつんでいた白い寝巻も破られてはいなかった。寝間に押し入った羆は遺体に手をつけることもなく、再び板壁の空間から戸外に出ていったらしく、炉のある居間に入った様子もなかった。

通夜《つや》の席に集っていた者たちが羆に食い殺されなかったことは、奇蹟《きせき》と言ってよかった。炉に立ち昇る炎と石油カンをたたく音が羆を去らせたのかも知れなかったが、それがかれらを救った原因とも断定できなかった。

やはり羆は、島川の妻の体を食いつくしたことで飽食状態にあるのかも知れない、と区長は思った。恐らく羆は些細《ささい》な気紛《きまぐ》れから通夜の営まれている島川の家にふみこみ、そして去ったにちがいなかった。

区長たちも床に膝を屈している者たちも、死と隣り合わせにいることを感じた。羆が区長たちの予想に反して村落内にふみとどまっていることは、今後も被害が続出する危険のあることをしめしている。羆は、島川の家を去ったが、再び他の家を襲う可能性も多分にある。

奇妙な感慨が、区長の胸に湧いた。かれは、呼吸をし血液の循環しつづけている自分の肉体の存在を強く意識した。それは、生れてから食物の摂取によって成長し維持されてきたが、一頭の野獣によって呆気《あっけ》なく死体という物質に変質させられるかも知れない。しかも、羆にとって自分の肉体は一個の餌としての意味しかない。

「引揚げよう」

区長が、言った。

男たちの顔に、安堵《あんど》の色がうかんだ。

「仏はどうします」

男の一人が、区長の顔をうかがった。

「あのまま放置して置け。クマの餌として残す」

区長は、答えた。

かれは、自分の口からもれた言葉に驚きを感じていた。遺体を放置し、しかもそれを餌と表現したことは、死者に対する冒瀆《ぼうとく》である。かれは、男たち、殊《こと》に島川の反応をおそれた。が、男たちは反撥する気配もなく、島川もうつろな眼をして口をつぐんでいた。羆は餌のある場所から去らぬ習性があると言われているし、遺体を放置しておくことは羆を島川の家の周辺に釘《くぎ》づけにしておくのに効果がある。被害を他に及ぼさぬためには、区長の指示が適切であると思っているようだった。

遺体を棺の中に入れることもせず、かれらは戸外に出た。

「鉄砲」

区長は、松明の群に声をかけた。

島川の家に銃を忘れた者も銃を手にしていて、五人の男がかれの前に進み出た。

「前に三人、後に二人」

区長は、かれらの配置を指示した。

松明の列が、雪道を渓流沿いに下流方向へ動き出した。列は、かれらが集合していた中川の家へむかった。

かれらは体を押し合いながら一団となってゆるい下り傾斜の雪道をくだった。道の両側には樹木が点在し、それが松明の光で次々に浮び上る。雪の上を動く樹木の影が、生き物の群のようにみえた。

かれらの間から湧《わ》く白い呼気が、松明から立ち昇る黒い煙とまじり合った。かれらは、無言で歩きつづけた。

不意に、かれらの足が硬直したようにとまった。前方の闇《やみ》の中から、野鳥の群の鋭く啼《な》きしきるのに似た声がきこえてきた。それは、区長たちが四十分ほど前に耳にした声と同質のものであった。多数の者が一斉に喚声をあげているようにもきこえる。

その声にまじって、あきらかに悲鳴と思える叫び声が長々とつづいた。

男たちは、身じろぎもせず立ちつくしていた。松明《たいまつ》の炎が、闇の中でゆらいでいる。かれらの眼は、前方の闇に向けられていた。その方向には、渓流をはさんで左手に中川、右手に明景の家があった。

中川の家には三組の家族がいたが、明景の家には、明景の家族五名と渓流の上流から避難してきた斎田の妻子三人と樵《きこり》のオドの計九名が集っていた。両家ともほとんどが女と子供で、炉に薪をさかんに加えて羆の襲来を避けているはずだった。

叫び声は、明景の家から起っているようだった。明景の家はむろん草囲いで、羆は叢《くさむら》にでも分け入るように家の内部へ踏みこむことができる。

男たちの列は、すぐには動き出そうとしなかった。松明の群は、静止したまま油のはじける音を立てて炎をあげていた。

大鎌《おおがま》を手にした区長が二人の銃携行者とともにおぼつかない足どりで歩き出したが、

その後に従ったのは松明をかざした数人の男たちだけで、他の四十名近い者たちは、足をすくませて区長たちの後姿を見つめているだけだった。

区長をかこんだ松明の火が、わずかにゆれながら道沿いに立つ樹木のかげに曲っていった。炎の群が、樹幹の間に隠顕した。

声が不意にやんで、あたりに渓流の音がするだけになった。静寂が、かれらの体を重苦しくつつみこんだ。

一人が足をふみ出すと、その男との空間を埋めるように他の者もつづいた。列はさらに短縮され、男たちは小刻みに雪をふんで道をくだっていった。

道のゆるくカーブした角を曲ると、渓流の左側に建つ中川孫一の家が見えた。ランプがともされ薪がさかんに燃やされているらしく、内部は光にみちていた。が、渓流の右側に建っている明景の家の内部は暗く、その代りに松明の火が戸外に寄りかたまっていた。男たちは、推測通り明景の家が羆に襲われたことを知った。

区長たちがすでに明景の家の前に達していることに勇気づけられて、男たちは、数個の松明の火にむかって近づいた。

区長たちは、無言で渓流の傍に身じろぎもせず立っていた。

松明が合流し、その炎で十数メートルはなれた明景の家が明るく浮び上った。男たちは、入口に垂れた蓆《むしろ》の片側がはずれて、その附近の雪の上に人の足跡が乱れ、それが渓流を越えて中川孫一の家の方につづいているのを眼にした。明景の家の内部からはなんの物音もしなかった。

中川の家にむかっている足跡を眼で追った男の一人が、区長に青ざめた顔を向けると、

「みんな逃げたのだろうか」

と、言った。

区長は、こわばった顔を明景の家に向けたまま、

「今、中でクマが食ってる」

と、抑揚のない声で答えた。

男たちは、その言葉に一瞬体をかたくさせると、明景の粗末な家に眼を据えた。ランプも薪も消えているらしく、はずれかけた蓆のすき間からのぞく家の内部には濃い闇が凝固している。傍を走る渓流の音と松明の燃えはじける音しかきこえぬ静けさの中で、羆が家の内部の者を食っているとは思えなかった。

かれらは、区長が錯乱状態にあるのではないかと疑った。

かれらは、区長の表情をうかがったが、区長は眼を家に向けたまま身じろぎもしな

い。区長とともに先行した銃携行者たちも銃口を家に向けているだけで、言葉を発する者はいなかった。

突然、区長たちの肩がはずむように動いた。音がした。それは、なにか固い物を強い力でへし折るようなひどく乾いた音であった。それにつづいて、物をこまかく砕く音がきこえてきた。

区長たちの顔が、ゆがんだ。音は、つづいている。それは、あきらかに羆が骨をかみくだいている音であった。

呻《うめ》き声はきこえなかった。家の内部が静まりかえっているのは、人がすでに死亡し、羆が遺体を意のままに食いつづけていることをしめしていた。

音が絶え、再び渓流の音が湧き上るようにきこえてきた。男たちは身をふるわせていたが、一種の救いに似た感情もいだいていた。かれらの羆に対する恐怖は、その所在がつかめぬために一層つのっていた。闇が羆の体をつつみこみ、男たちは、闇が羆そのものであるような不安を感じていた。しかし、骨をかみくだく音によって、羆が家の内部にいることは確実で、広大な闇の中で羆のひそむ範囲が狭い空間に限定されたことは、かれらの気持をわずかではあったが落着かせていた。

かれらには、やらねばならぬことがあった。それは、羆を殺すか追い払って内部に生き残っているかも知れぬ者たちを救出することであった。が、家の内部に踏みこむことは、自分たちが骨をかみくだかれている者と同じ運命におちいることを意味する。それに、家の内部から人の呻き声もきこえぬことを考えてみると、生存者はなく、危険をおかして入りこむ必要はないと思った。

再び骨をくだく音が、きこえてきた。かれらは、顔をゆがめた。

かれらの中に、明景の主人である安太郎はいなかった。かれは、三日前に東北地方へ残してきた山林の処分のために出掛けていて留守だった。また渓流の上流から二人の子供を連れて明景の家に避難してきていた女の夫の斎田は、その日の早朝、事故発生の報告と救援を乞《こ》うために苫前村役場に出発していた。

「どうする、区長」

日露戦役に従軍し一等卒として帰還した男が、区長に近づくと声をかけた。

区長のまわりに、数人の男が集った。

「家に火をつけよう」

一人の男が、かすれた声で言った。

その提案に反対する者はいなかった。かれらの手にした松明を家に投げれば、草囲いの家には容易に火がつく。しかも、草は枯れきっていて、たちまち家が炎につつまれることは確実だった。羆《ひぐま》は狼狽《ろうばい》して飛び出すはずだし、家を焼く炎が羆の姿を明るく浮き上らせて射手の好目標にもなる。また、火のまわりが早ければ羆が焼死する可能性もあった。

しかし、明景の主人は留守で、その諒解《りょうかい》も得ず家を焼きはらってしまうことは避けねばならなかった。それに、遺体が焼けることも好ましくはなかった。遺族である明景と斎田に焼けただれた遺体を渡せば、かれらは村落の者の非情さを恨むにちがいなかった。殊に斎田は、苫前村役場に事件の報告のため使者に立ち、区長たちはその家族の安全を約束した事情もあって遺体を損うようなことはできなかった。

「鉄砲だ。盲《めくら》うちでもかまわぬから、家の中に一斉射撃しよう」

男の一人が、血走った眼で言った。

家の中に入ることは危険であり、それ以外に方法はなさそうだった。小さな家の内部に五挺《ちょう》の銃で弾丸を連続的に打ちこめば、その中の一弾が羆に命中することも予想された。

「やるか」

区長が、男たちを見まわした。

「しかし、生き残っている者がいたらどうする」

銃を手にした男が、不安そうにつぶやいた。

区長の眼に、弱々しい光がうかんだ。

男の口にした危惧《きぐ》が全くないとは断定できなかった。襲われた島川の家では、通夜《つや》に集っていた五人の男が便所と屋根裏にのがれて息をひそめていた。かれらは恐怖で声を発することもできず身をすくめていた。その折と同じように、眼前の明景の家でも、羆が人骨をかみくだく音を耳にしながら、息を殺している者がいるかも知れない。失神している者もいる可能性があった。

もし銃弾を家の内部にむけて乱射すれば、生き残っていた者たちを射殺してしまうおそれもある。非常の場合であるとは言え、そのような事故がおこれば当然殺人行為になる。

区長は、思案し、人命をそこなうおそれのある銃撃は避けねばならぬと思い直した。気も顚倒《てんとう》した男たちの中で、戦場体験のある元一等卒の落着いた態度が、区長には頼り甲斐《がい》があるように思えた。

「どうしたらいいと思う」

かれは、その男に声をかけた。

男は、冷静な口調で意見を口にした。まず家の入口附近に五人の銃携行者を散開配置させ、その一人に銃口を空に向けて二発弾丸を発射させる。その発砲音に驚いて羆が戸外にとび出してきたところを、一斉射撃で射殺するのが最善の方法だろうと言った。

区長は、かれの意見に同意し、銃携行者を集めると、元一等卒の口にした方法通りに行動するよう命じた。

その指示にしたがって五人の男たちは、銃口を家の方に向けながら入口を中心に扇形に散った。そして、区長をはじめ他の男たちは、銃携行者の後方に移動した。配置がととのい、五挺の銃が家の入口に向けられた。その間にも人骨をかみくだく音が、炉のおかれた居間のあたりから断続的にきこえていた。

「射《う》て」

区長の声に、射手の一人が銃口を夜空に向けた。

発砲音が、驚くほど大きくひびいた。それは空気の層をたたくように乾いた余韻をのこして、夜の渓谷にこだました。射手は、素早く弾丸を装塡《そうてん》したらしく、つづいて銃声が起った。その音は、第一弾の発砲音とかさなり合って夜気を激しくふるわせた。

銃撃音の余韻が遠のいた時、男たちは足もとの土がゆれるのを感じた。重量感にあふれたものが、家の土間をふんで入口に突き進んでくるのが感じられた。それは、山林を雪煙をまき上げてかけくだってきた羆の足音と同質のものであった。

男たちの中には、逃げ出す者はいなかった。かれらの体は硬直し、足が萎縮《いしゅく》したように動かなくなっていた。かれらの眼は大きくひらかれて入口に据えられていたが、不意に入口の蓆をはねのけるようにして、茶色い巨大なものがおどり出るのを見た。正面にいた中年の銃携行者が、引金をひいた。が、銃撃音は起らず、銃は不発であった。

他の射手たちは、松明に淡く浮き出た茶色いものに銃口を向けた。しかし、発砲する直前に、それは家の軒下を驚くほどの速さで移動すると、家の裏手の闇にとけこんでしまった。

かれらは、しばらくその場に立ちつくしていたが、区長が元一等卒とともに砕かれた入口に近づくと、その後から家の内部に入りこんだ。

松明の火に照らし出された内部は、凄惨《せいさん》だった。血が床に流れ、柱や天井にも飛び散っていた。男たちは、床と土間に肉と骨の残骸《ざんがい》をみた。

俵のかげに、無傷の男児がうずくまっていた。明景の家の十歳になる長男で、眼を閉じていたが死亡しているのではなく失神していた。また寝間にふとんをかぶったまま気絶している明景の老いた母親も発見された。想像していた通り生き残っていた者がいたのだ。

一人が戸外に出ると、他の者たちもそれにつづいた。失神した老婆《ろうば》と子供は、放心した眼で男の背に負われていた。

男たちの中から、かすかなすすり泣きの声が起った。殺された者がだれかはわからなかったが、村落の者が無残な肉片と骨片に化していることに堪えがたい悲しみを感じたのだ。

人々は、未開の地に村落を形成した。かれらは、荒地をひらいたが、土地は、逞《たくま》しく張った木の根や石塊《いしくれ》でかれらの鍬《くわ》をこばもうとし、冬の寒気と積雪でその生活をおびやかした。それを当然のこととしてかれらは苦痛に堪え、自然にさからうこともなく生きてきた。

しかし、自然はかれらに大きな代償を強いた。先住者である羆を擁護する立場に立ち、村落の者たちを容赦なく死におとし入れた。それは、村落の者に対して加えられた制裁のようにも思えた。

男たちは、自分たちのつつましい努力が自然の前に無力であることを感じた。土地を開墾し草囲いの家の中で寒気をしのいできた日々が、結局は無為なものであることを知らされたのだ。

かれらの耳に、かすかな泣き声がきこえてきた。それは家の内部からで、クマ、クマという息をはくような声であった。

男たちは、動きをとめた。家の中に生き残った者がいることはあきらかだったが、クマという言葉に、羆が再び家の中にもどってきているのかと想像した。その声は、男児の口からもれる声のようであった。意識を失っていた子供が、身近に羆の存在を感じて声をあげているようにも思えた。

射手たちは、銃口を家に向けた。散乱していた肉片と骨片を眼にしたかれらには、家の内部に踏み入ってゆく気力はなかった。救《たす》けを求めるように声をあげている子供も一個の犠牲として放置し、その場から一刻も早くはなれたかった。

子供の泣き声は、時折り呻き声に変る。その声は細々としていて、消え入るようにかすれていた。

かれらの中から、一人の男が徐々に進み出た。それは元一等卒の男で、松明《たいまつ》をかざしながら入口に近づくと、しばらく内部をうかがってから足をふみ入れた。かれの手にした松明の光が、家の中からもれていたが、やがて入口が明るむとかれが姿をあらわした。

かれの片腕に蓆でつつまれたものがかかえられ、区長の前に近づくとそれを雪の上におろした。

蓆につつまれていたのは、明景の家に避難してきていた斎田の長男である六歳の子供であった。

松明の光に照らし出された男児の体に、男たちは顔をゆがめた。左大腿部《だいたいぶ》から臀部《でんぶ》にかけて肉がえぐりとられ、その一部には白い骨が露出していた。男児は、すでに意識も薄れているらしく、その口からかすかにクマという言葉がもれていた。

男児の体が再び蓆につつまれて、元一等卒の男の腕にかかえられた。そして、かれが歩き出すと、区長たちもその後にしたがった。

かれらは、ゆるく傾斜した渓流ぞいの雪道をおぼつかない足どりでくだると、丸木橋を渡って中川の家にたどりついた。

中川の家には、明景の家から逃げのびてきていた三人の者たちが板ばりの床に身を伏していた。明景の妻と一歳の嬰児《えいじ》が頭部、顔面に裂傷を受け、樵《きこり》のオドは左大腿部と臀部を引き裂かれて呻吟《しんぎん》していた。

区長は、オドから明景の家にいた者たちの名をたずねた。人数は九名で、三名が殺害されたことを知った。

元一等卒の堀口が抱きかかえてきた男児は、炉端に横たえられていたが、呻き声ももれなくなっていた。そして、手足をかすかに痙攣《けいれん》しはじめると、それもやんだ。男たちの中から、嗚咽《おえつ》が起った。その夜の死者は、四名になったのだ。

男たちの顔には、虚脱の色が濃くうかんでいた。前日には、島川の妻子が殺され、さらにその夜は明景家の三歳の三男と斎田家の妻と二人の子供が死体になった。わずか二日間に六名の者が殺害され、三名が重傷を負わされたのだ。

男たちは、島川の妻の無残な遺体を眼にした時、羆がそれによって飽食し、再び他の者をおそうことはあるまいと半ば信じていた。そのためかれらは、島川の妻子の死をいたむ通夜をおこなったが、羆の食欲はかれらの想像をはるかに上廻り、通夜の席にふみこみ、さらに明景の家を襲った。その行為は、今後もくり返されるおそれが十分にあった。

男たちは、炉に薪を加えつづけた。が、かれらの火に対する信仰はすでにくずれ去っていた。明景の家では、オドの指示で薪がさかんに燃やされ、ランプの灯もともされていた。が、羆は、その火も恐れず家の内部に踏みこんだ。むしろ羆は、火を眼にしてそこに人間の集っていることを知り、襲ってきたとも考えられた。

かれらの心の支えとして残されたのはわずかに銃のみになったが、それもかれらには心許《こころもと》ない存在になっていた。前日に山林内で羆の姿を認めた時、五挺の銃のうち四挺は不発であったし、その夜も至近距離で発砲した射手の銃からも弾丸は発射されなかった。すべての銃がその機能をしめしてみせたのは試射の時のみで、羆になんの痛手もあたえなかった。

かれらは、自分たちが羆の前でほとんど無防備であることを知った。無力感が、かれらに重くのしかかった。

五挺の銃を中心に屈強な五十名ほどの男たちで構成された集団は、羆に対抗できる力はなく、むしろそれは羆の食欲をみたす餌《えさ》の群にすぎなかった。しかも、村落には、老人や女子供のみが各家々で身を寄せ合っている。それらが、羆によって肉を切り裂かれ、骨をかみくだかれるのは時間の問題に思われた。

男たちは、村落にとどまっていたことが不遜《ふそん》であったことに気づいた。その地を開墾地として村落を作ったが、それはかれらの勝手な行為で、その地は依然として雪深い渓流沿いの山間部であることに変りはない。羆は自由に行動し、餌をあさったにすぎないのだ。

かれらは、死者を土に帰すことによってその地に生活の根を深々とおろすことができると考えた。そのためかれらは、村落すべてで通夜の行事も営んだが、死者はさらに四名ふえた。それは、六線沢がかれら自身の生きてゆくことのできる地ではないことをしめすものであった。

「退避だ」

区長の言葉に、男たちはうなずいた。それは、かれらが自分たちの生命を守る唯一《ゆいいつ》の方法であると同時に村落の放棄を意味していた。

三

かれらが、それまで村落にふみとどまっていたのは、土壌に対する愛着であり、それから受ける恵みを期待していたからであった。しかし、かれらは、自分たちの生活が土に根づくこともなく、自然は苛酷《かこく》な姿を変えてはいないことに気づき、土に対する甘えに似た感情を捨てた。

かれらは、前日羆《ひぐま》が島川の家をおそった時から逃げたいという強い意識にかられていた。が、それを実行に移さなかったのは、土地と粗末な家屋がかれらをかたく縛りつけていたからであった。かれらは、蝸牛《かたつむり》に似ていた。蝸牛は移動性の乏しい生物で、わずかな範囲の土の上を這《は》いまわるだけで一生を終る。それと同じように、かれらは腰を据えた渓流沿いの地をはなれることができず、家屋という殻から脱け出ることもできなかった。

退避すると決定したことは、かれらの恐怖を異常なまでにたかめた。土地と家に対する執着をふり捨てたかれらに残されたのは自分の肉体のみで、それを保持することがかれらの唯一の願いになっていた。

男たちは、一刻も早く下流方向にのがれようと家の入口附近に寄り集っていた。しかし、かれらにはやらねばならぬことが残されていた。それは、渓流沿いに点在する家々に身をひそませている家族を避難させることであった。島川の家を再度おそい、明景の家にふみこんだ羆が他の家々の老人、女、子供を殺害することは確実視された。

区長は、約五十名の男たちとともに最も上流の地にある家に向い、そこから次々に下流方向の家の者すべてを収容して下流に脱出することを定めた。

六線沢の男たちは、家族の身を案じてその提案に賛成したが、隣接の三毛別の者たちは無言であった。かれらは、むごたらしい死体を何体も眼にして、これ以上六線沢にふみとどまる意志を失っていた。渓流沿いの道に点在する家々を訪れれば、途中で羆に出遭う可能性があるし、縁もない者のために身を危険にさらすことは避けたかった。

しかし、かれらが逡巡《しゅんじゅん》しながらも区長の言葉にしたがったのは、集団からはなれることが恐しかったからであった。渓流の対岸にある明景の家をおそった羆が附近にいることは容易に想像できたし、男たちの群からはなれて下流方向に逃げたとしても、途中で襲われるおそれがある。弱小動物と同じように、かれらは集団からはなれることができなくなっていた。

区長は、明景の家の内部に散乱する遺体を餌として放置し、絶命した少年と三人の重傷者は背負ってゆくことを告げた。

新しい松明が用意され、炎の群が中川の家から流れ出た。いつの間にか雪が舞いはじめていて、雪片が松明の光に昆虫《こんちゅう》の群のように乱れ飛んでいた。

前部と後部に二名ずつ銃携行者が配置され、中央部に一人の射手が男たちの中に入った。中川孫一の家の前に集った松明の群は、丸木橋を渡って雪道に出ると、渓流の上流方向に動き出した。

それは、列というよりも人間の肉体の大きな塊りだった。男たちは体を密着させ、前を歩く者の踵《かかと》に藁靴《わらぐつ》の先端をぶつけながら小刻みに足をふみ出してゆく。言葉を発する者はなく、松明の火に映えた男たちの眼は血走っていた。

五百メートルほどの間隔に建っている家々には、ランプや炉の火の光がもれていたが、松明の群はそれらの家々を無視して最も上流にある家にむかった。道が、かれらにとって途方もなく長い距離に感じられた。

ようやく目的の家の前にたどりついた男たちは、路上から家の内部にむかって口々に声をかけた。その家の主人である男が、垂れ蓆《むしろ》の中に走りこんだ。

男の怒声が、きこえた。妻は、手荷物をまとめているらしく、それを男が荒々しくせき立てている。道に立った男たちの間からも、

「早くしろ、置いてゆくぞ」

と、苛立《いらだ》った声があがった。

蓆の間から、男に追い立てられて嬰児を背にくくりつけた女が二人の子供とともに出てきた。が、女はなにかを取りに帰ろうとしたらしく、再び蓆の内部に入りかけた。男が、女の髪をつかむと引きもどし、顔に掌を何度もたたきつけた。嬰児が泣き声をあげたが、子供たちは異様な気配に口をとざして男たちの中に入りこんできた。

松明の光の群が、反転して下流方向にくだりはじめた。松明の光が一団となって次の家に急ぐ。かれらには、訪れる家がすでに羆の襲来を受けているのではないかという強い危惧《きぐ》があったが、家の中からは続々と女や子供たちが雪の中に出てきた。

女や老人たちは、例外なく品物に未練をもって家の中をあさっていたが、男の叱責《しっせき》

を浴びて列の中に加わった。

降雪が激しさを増し、かれらの体は雪でおおわれた。遺体の放置された島川の家の前を過ぎた頃、列はかなり長いものになっていた。老人は先祖の位牌《いはい》を胸に抱き、女は嬰児を背にくくりつけていた。

松明が時折り新しいものに替えられ、古い松明が捨てられた。それらは雪の上で燃えつづけ、かれらの通過した跡には炎が点々と雪道をふちどっていた。

かれらの足は、道をくだるにつれて一層早まった。遺体の散乱している明景の家の前も、ほとんど雪を蹴散《けち》らすようにかれらは通り過ぎた。松明の群は、数を増しながら下流方向にくだってゆく。その後方には、無人の家々と路上に投げ捨てられた松明の残火がみえるだけであった。

列が明景宅から三キロ下流の松浦東三朗の家の前にたどりついたのは、午前三時近くであった。そこは、六線沢の男たちが作っていた氷橋《すがばし》から百メートル程上流の地点で、村落の外れであった。

男たちは、百名をこえる老人、女、子供をふくむ者たちが途中羆に襲われることもなくその家に達したことを奇蹟《きせき》のように思った。かれらの疲労は激しく、家の中に入ると膝《ひざ》をついた。女や子供たちの中には、せき立てられて家を出たため素足の者もいたが、恐怖で寒さも感じぬようだった。

松浦の家のまわりには男たちが火を数個所に焚《た》いて屯《たむ》ろし、せまい家の内部には老人や女子供がひしめいていた。炉に薪が大量に投げこまれ、その火熱で雪の附着したかれらの衣服から水蒸気が湧《わ》き、家の中は白く煙った。それらの間にはさまって、重傷を負った明景の妻と子供とオドが呻《うめ》き声をあげて横たわり、斎田の幼い息子の遺体が蓆をかぶせられて置かれていた。

男たちは、本流を渡ってさらに下流方向に避難すべきだと主張した。羆は、村落の者たちが落ちのびてゆく姿を見守っていたはずで、かれらの集っている松浦宅を襲うおそれがあった。

しかし、素足の老人や女、子供たちの足は紫色に変化していて、再び雪中を歩かせることは不可能だった。

区長は、かれらに休息をとらせて夜が明けてから隣接の三毛別村落に脱出することを指示した。

かれらは、一睡もせず夜明けを待った。炉には薪が惜しみなく加えられ、焚火にはがした床板を投げこんだり蓆を加えたりして火を絶やさぬことにつとめた。また素足の者たちは、布で足を強く摩擦し凍傷にかかるのを防いでいた。

雪が小降りになった頃、夜空に青みがきざし、焚火の炎の色もうすらぎはじめた。家の内部から子供を連れた女や老人が、戸外に連れ出された。素足の者は、足に裂いた蓆や布をまきつけていた。

きびしい寒気とちらつく粉雪の中を、かれらは歩きはじめた。二キロメートル下流の木橋は降雪のため使用不能になっていたので、氷橋を渡る以外になかった。が、氷橋は未完成で、かれらは、一人ずつ雪におおわれた渓流を渡った。水は冷く皮膚を刺したが、男たちは老人や女、子供を背負って腿《もも》近くまで水につかりながら黙々と渓流を渡った。

かれらは、雪道を急いだ。列は乱れて、膝まで没する雪の上を競い合いながら下流方向へくだっていった。

三毛別の家々には、炉から立ち昇る淡い煙が流れ出ていた。雪は、やんでいた。

初めに村落の中へ入ってきたのは、消えた松明《たいまつ》と鎌《かま》や斧《おの》を手にした三毛別の男たちで、その後方から、六線沢の男たちに守られた老人、女、子供の群が姿をあらわした。その中には、少年の遺体と三人の重傷者を背負った男もまじっていた。かれらは下半身雪にまみれ、足をひきずりながら近づいてきた。

三毛別の者たちは、戸外に飛び出してかれらを凝視した。

前日の朝、区長をはじめ五人の銃携行者をふくむ三十余名の男たちが、村落から六線沢にむかった。それは、島川の妻子を襲った羆《ひぐま》を仕とめるためで、留守をまもる村落の者たちは、五名の射手も同行しているので男たちが必ず羆を射殺してくるにちがいないと信じこんでいた。

しかし、引返してきた三毛別の男たちの顔には沈鬱《ちんうつ》な表情が浮び、その後からつづいてきた八十名以上の六線沢の者たちの顔にも血の気が失われている。村落の中にあわただしく入ってきたかれらの姿に、三毛別の者たちは多くの人間が一頭の羆にも抗し得ずのがれてきたことを知った。

三毛別の者たちは、息をあえがせてたどりついた老人や女、子供の姿に眼をうるませ、抱きかかえるようにして分教場に導いた。

分教場の授業は中断され、村落の者たちは教室に食糧、衣類、薪などをはこび、寝具を持ちこんでかれらを休息させた。また、三人の重傷者は、戸板にのせられて下流の村にある医院に送られ、少年の遺体は急造の棺におさめられた。

その頃、下流方向から一人の男が村落に入ってきた。それは、前日の早朝三十キロへだたった村役場に事件の発生を報告するため派せられた斎田であった。

かれは、いぶかしそうに六線沢の者たちの集っている分教場の庭に入ってきた。その姿を眼にした六線沢の者たちは、顔色を変えた。かれらは、斎田に村役場へ行ってくれるよう頼んだ時、残された家族の身を必ず守ると約束したが、結果は逆で、かれが出発後かれの妻と子供が明景の家で殺害され、救出された六歳の少年も絶命した。斎田は家族全員を失ったのだが、それは村人たちの責任であった。

かれらは、斎田から顔をそむけていたが、主だった数人の者がつぎつぎに手をつくと、かれに事情を告げた。

斎田は、呆然《ぼうぜん》と立ちつくし、教室の中に入ると棺におさめられた子供の遺体を見つめた。その体を棺からとり出したかれは、激しい泣き声をあげた。そして、周囲に膝をつく村人たちを憤《いきどお》りにみちた眼で見まわしていた。

三毛別の村落内には、事故の全容がすさまじい早さでひろがっていった。

島川の妻の体が原形をとどめぬまでに食いつくされ、殺された子供との通夜《つや》の席に羆が板壁を破ってふみこみ、さらに、明景の家で四名が殺害され三名が重傷を負わされたことがつたえられた。殊《こと》に斎田の妻は臨月の身で、孕《みごも》った胎児も羆に食いつくされたことが村落の者たちを戦慄《せんりつ》させた。

それらの話の中には、区長たちの知らぬこともふくまれていた。それは、ようやく落着きをとりもどした被災者の口からもれたものであった。

明景の家に羆が闖入《ちんにゅう》してきた時、明景の長男である十歳の少年は、土間に二段積みにされた雑穀俵のかげにひそんで奇蹟的にも難をのがれたが、かれは、羆の荒々しい呼吸音にまじって骨をかみくだく音もきいた。

かれの耳に、

「腹、破らんでくれ」

と、羆に懇願するような叫び声がきこえた。それは、臨月の斎田の妻が発する声だったという。彼女は、羆に食われながらも母性本能で胎児の生命を守ろうとしていたのだ。

また明景家の老婆《ろうば》は、羆が居間の壁をぶち破り、炉をとびこえて入りこんできたことも口にした。その荒々しい動きで炉にかけられた大鍋《おおなべ》がくつがえって火が消え、逃げまどう人々がランプを踏散らしたため家の内部が闇《やみ》になった。その直前に羆を瞬間的に見た彼女は、その体の大きさを口にした。それは肥えた牛馬よりもはるかに大きく、殊に頭部がいかつい岩石のように見えたという。

区長たちは、羆が六線沢の村落に姿を現わした目的は食欲をみたすためであることを知った。巨大な肉体をもった羆は、半年近くの冬ごもりを持続する必要から次々に人間をおそったが、その食欲はまだ十分には満されていないと推測された。

三毛別の村落内には、騒然とした空気がひろがった。

六線沢は無人の地に化し、食い散らされた五個の遺体のみが残されている。羆は、それらの遺体を食い散らすだろうが、それが尽きた折には他の餌《えさ》を求めて動きまわるにちがいなかった。そして、六線沢を出た羆が渓流沿いに三毛別の村内に入ってくることも十分に予想された。

三毛別では、男の半数以上が海岸線の漁村に出稼《でかせ》ぎに行っていて、老人、女、子供しかいない家が多かった。かれらは不安に駆られ、遠く下流方向にある古丹別《こたんべつ》に避難するため家にもどると、あわただしく手廻りの荷物をまとめはじめた。

区長は、かれらの動きを無言でながめていた。羆が村落に入りこみ、人命事故をひき起すおそれは多分にあり、そうした惨事を避けるために足手まといになるかれらを避難させることが良策だと思った。

家々から風呂敷《ふろしき》包みを背負い、子を連れた者たちが続々と出てくると、雪道を急いでゆく。それは長い列になって、古丹別へ通じる道を去っていった。

また分教場に収容された六線沢の者たちも、男をのぞいた全員が古丹別へ向うことになり、数人の男たちに守られて村落をはなれていった。

三毛別の村落には、男五十余名と少年の遺体一個が残されたのみで、男たちは村落のはずれに少年の遺体をはこび、茶毘《だび》に付した。

大量の薪が井桁《いげた》にくまれ、その中央部に遺体が押しこまれると火が点じられた。薪はよく燃え、煙が雪もよいの曇空に流れた。

やがて焼けた骨は壺《つぼ》におさめられ、斎田の手に渡された。かれは、無人になった分教場の片隅で骨壺を抱いてうずくまっていた。

男たちは、区長の家の内外に放心したような眼をして屯ろしていた。かれらは、銃や鎌などを手にしていたが、顔にはうつろな表情しかうかんでいなかった。激しい疲労で居眠りをする者も多く、出された芋を無言で食べている者もいた。

正午近くになると、六線沢の者たちは、区長の家の前庭の一隅に寄りかたまって低い声で会話を交しはじめた。

かれらには、土地と家屋に対する執着がよみがえってきていた。かれらは、四年前入植してから苦しい労働の末にひらいたわずかな耕地のことを口にし、家に残してきた家財道具のことを思い浮べていた。それは、かれらの全財産であり、それを放棄することは生きる道を失うことでもあった。

耕地では年々収穫がわずかながらも増してきていて、その年の秋には新たにソバの植付けに成功した者もいれば、大根を豊富にとり入れることができた者もいた。土地は、耕地としてかれらのものになりかけていたし、冬の寒気はきびしいが家屋にも少しずつ改良が加えられてきていた。渓流は、飲料以外に耕地の土をうるおし、川魚もあたえてくれる。それは、かれらにとってほとんど理想郷ともいえる地であった。そこに忽然《こつぜん》と姿を現わした一個の野生動物によって、すべてを失うことはかれらにとって堪えがたいことであった。かれらは、土地に対する執着を熱っぽい口調で口にし合った。

そうしたかれらの苛立《いらだ》ちをうかがっていた三毛別の男たちは、区長の周囲に寄り集った。

かれらは、三毛別が六線沢と同じ状態におちいりはしないかという不安をいだいていた。三毛別は、明治中期にひらかれた開拓地で、耕地には肥料がしみつき、作物の収穫量も種類も六線沢とは比較にならぬほど豊かであった。渓流の水をひいて水稲《すいとう》を試みている農家も数戸あり、それは徐々に増加してゆく傾向すらある。

戸数は百戸を越え、分教場も設けられていた。海岸線の漁場との交流もひんぱんで、農作物を出荷し、魚介類を豊富に得ている。その村落が放棄されるような危機に瀕《ひん》することは防止しなければならなかったが、すでに老人、女、子供が古丹別に避難し男たちだけが残されていることは、村落の放棄がはじまっていることをしめしていた。

かれらの土地に対する愛着は、住みついた年月の長さと作物の豊かさからも六線沢の男たちより一層強かった。それに三毛別の男たちは、附近で最も古い開拓村落の者であるという自負もいだいていて、六線沢をふくめた自分たちの土地を守るために適切な処置をとらねばならぬという義務感も強かった。

しかし、羆に対抗するために再び六線沢にむかうには、自分たちが余りにも無力であり、不本意ではあるが強力な救援を外部に求めることが必要だと感じていた。

区長は、六線沢の主だった男たちも呼び集め話し合った。その結果、このまま手を拱《こまね》いていてはならぬという点で、かれらの意見は一致した。また近在の村落に呼びかけて多くの男を集めてみても、なんの効果がないことも確認し合った。人の数がふえても、かれらは一団となって村落内を移動したり身を寄せ合って屯《たむ》ろするだけで、むしろ混乱が増すだけにすぎないと判断された。

それに火に対する信頼の失われたことが、かれらに大きな打撃をあたえていた。通夜の営まれていた島川の家でも明景の家でも薪が大量に焚《た》かれランプの灯もともされていたが、羆はひるむことなくふみこんできた。むしろ羆は、火の明るさに人間の所在を知って襲ってきた気配さえあるように思えた。

三毛別の五名の射手たちの保持する銃に対する信頼感も、すでに失われていた。火と銃に不信をいだくかれらには、頼るべきものはなにもなくなっていた。

巡査に来てもらおう、と区長は言った。警察には、整備された銃と有能な射手がいるはずで、六線沢の者が多数殺傷されている状況にあることから考えて、それは警察組織にゆだねられるべき性格のものだと思ったのだ。

男たちは賛同したが、中にはより強力な軍隊の出動を乞《こ》うべきだと主張する者もいた。旭川《あさひかわ》には明治三十二年以来第七師団の歩兵第二十八聯隊《れんたい》が設置されている。その兵力は精強を誇り、日露戦役でも顕著な戦績をあげたといわれている。当然、その組織には新鋭火器と練度の高い将兵が配置されているはずで、羆の存在などほとんど無に等しいものであるにちがいなかった。

区長は、とりあえず警察の出動を仰ぎ、第七師団への出兵要請は警察に一任すべきだと結論をくだした。

ただちに二名の男がえらばれ、海岸線にある増毛《ましけ》警察署羽幌《はぼろ》分署に向い、また他の男たちを苫前《とままえ》村の役場へ急がせることになった。かれらは、それぞれ馬に乗って雪道を下流方向へ去っていった。

その間、三毛別をのがれ出た避難者たちの群は海岸線にむかったが、手荷物をもったかれらの姿は川の下流沿いに点在する村落の者たちに混乱をあたえた。かれらは、雪道を歩いてくる避難者たちをとりかこみ、事件の発生を知った。かれらは、避難者に質問を浴びせかけ、その答に顔色を変えた。

各村落の者たちは、言葉もなく立ちつくし、さらに避難者が雪道を海岸方向に寄りかたまって去ってゆく姿に不安をいだいた。避難者たちが村落を通過してゆくことは、自分たちの住む村落も安全な地と考えられていない証拠のように思えたのだ。

避難者たちの集団が雪道に消えると、かれらは、おびえた眼で周囲の地形を見まわした。トド松の密生した林は果しなくひろがり、渓流の両側には雪におおわれた山肌が迫っている。それらは野生動物の恰好《かっこう》の棲息地《せいそくち》で、峰づたいに追ってきたアイヌの猟師が村落の近くで羆を仕止めたこともある。

かれらは、村落が自然の中につつまれたものであることをあらためて意識し、羆が姿をあらわしても不思議のない地であることを知った。

避難者の通過は、各村落に避難騒ぎをひき起させた。人々は、馬橇《ばそり》に家財を積み、荷物をかついで渓流沿いの道をくだってゆく。人々の群は、他の村落の人々と合流し、海岸にむかって移動していった。

四

三毛別の村落には、静寂がひろがっていた。

五十余名の男たちが区長の家に集っているだけで、他の家々は無人になっていた。

分教場で息子の遺骨を抱いていた斎田も区長の家に連れこまれていた。斎田は、壁に背をもたせかけて坐《すわ》り、うつろな眼で骨壺を見つめていた。

区長は、島川と斎田の身を気づかった。かれらは、出された食物にも手をつけず眼をうるませて坐りつづけている。その憔悴《しょうすい》はいちじるしく、かれらを現場近くにとどめることは好ましくないと思った。

かれは、二人の男をえらび、島川と斎田を古丹別に送るよう命じた。島川と斎田は、意志を失った人間のように区長のすすめに従順にしたがい、男たちに伴われて三毛別をはなれていった。

日が翳《かげ》ると、家の周囲の数個所に焚火の炎がひらめいた。火に対する信仰は失われ、むしろそれが羆の来襲を招く要因になるかもしれないことも知っていたが、かれらには火のない夜を迎えることが不安であった。

かれらは、息苦しい時間をすごしていた。女子供が村落を捨てて去ったのは、男たちに対する信頼を失ったことをしめしている。一頭の羆《ひぐま》に五十名近い男が抗し得なかった事実が、女や子供たちを去らせたにちがいなかった。

男たちの眼には、卑屈な光がうかんでいた。殊《こと》に日頃から猟自慢をしていた銃携行者たちは、銃をかかえて他の男たちの顔から視線をそらしがちだった。

かれらは、待つだけの身になっていた。羽幌にむかった男たちが警察分署に到着し、分署長に出動要請を懇願する姿を想像していた。

いかめしい言動をする警察官が、かれらには頼り甲斐《がい》のあるものに思えた。警察官の職は明治維新に禄《ろく》からはなれた士族の者に占められたが、その傾向は大正時代に入っても依然としてひきつがれている。軽輩の武士又はその子であるかれらは、豪胆で闘争にも長じていた。しかも、かれらは警察という強力な組織のもとで集団行動をとることにもなれている。当然農夫である開拓民たちとは比較にならぬ力をそなえていた。

ただ男たちは、警察がかれらの乞いを入れてくれるかどうか一抹《いちまつ》の不安もいだいていた。警察は権威の象徴的存在で、警察官も言動、制服・制帽、サーベルによって庶民に威厳を誇示している。そうした警察組織がわずか一頭の野生動物に対抗するために出動してくれるとは思えなかった。むしろ警察は、銃携行者を擁する開拓民の無力を蔑《さげす》み、使者に立った男たちを激しく叱責《しっせき》することも予想された。

「巡査は来てくれるかね」

男の一人が、不安に堪えきれぬように区長の顔をうかがった。

「必ず来てくれる。人がクマに食い殺された事件で屯田兵《とんでんへい》が出動し、射殺した話をきいたことがある。まして警察ならば尚更《なおさら》のことだ」

区長が、不安を押し払うように答えた。

かれは、幼い頃その事件を物語風にした歌をきいた記憶があった。歌は全道の開拓民の間にひろめられ、歌詞に丘珠村《おかだま》という地名も挿入《そうにゅう》されていた。その歌詞の中に屯田兵が出動した事実がもりこまれていたという区長の記憶は、誤りではなかった。明治十一年十二月、札幌郊外の丘珠村に出現した羆が農家を襲い、主人と雇人の男二人と嬰児《えいじ》を食い殺し、妻に重傷を負わせた。その報告を受けた琴似《ことに》の屯田兵の一隊が救援に赴き、二日間にわたる山狩りの末射殺したのである。

「六線沢では六人も殺されたのだ。警察が素知らぬ顔をするはずがない」

区長は、自らに言いきかすように言った。

男たちは、無言でうなずいた。かれらは、死者が警察組織を動かす有効な存在であることを知った。また羆は害獣として捕獲・殺戮《さつりく》が道庁によって指示され、奨励金も支出されている。そうしたことを考え合わせると、区長の言葉通り警察が出動することは確実だと思った。

かれらの顔から不安の表情が消え、警察官の到着を待つ苛立ちの色がうかんだ。沈黙が、再びかれらの間にひろがった。

区長は、六線沢に放置してきた五個の死体を思った。それは、羆を足止めさせるためのものであったが、その目的が十分に果されるか否《いな》か疑問もいだいた。初めに放置されたのは咽喉《のど》を食い破られて死亡した島川の息子の体だったが、それを羆が食い漁《あさ》った形跡はなかった。羆はその少年の死体を無視したように、明景の家に集っていた女たちを襲った。その事実は、羆が生きている人間のみに強い関心をいだいている証拠のように思えた。

六線沢には、死体以外になにもない。それに気づいた羆は、人の匂《にお》いと雪道に印《しる》された多くの足跡をたどって渓流を下り、三毛別に姿をあらわす公算が大きいようにも思った。

「試し射《う》ちをしてみろ」

区長が、銃をかかえている男たちに声をかけた。萎縮《いしゅく》した男たちを発砲音で勇気づけさせたかったし、かれ自身も心の平静をとりもどしたかった。

銃を持った者が立ち上ると、男たちもその後について前庭に出た。雪が、またちらつきはじめていた。

銃携行者が、銃を手に渓流沿いの庭の一角に進み出た。そして、一人が空に銃口を向けると引金をひいた。乾いた発射音がとどろき、渓流の上流方向に木魂《こだま》しながら遠ざかっていった。

それを追うように、銃撃音がつづいた。硝煙の匂いの流れる庭に立つ男たちの顔はやわらいだ。その連続的な発射音は、羆に対する威嚇《いかく》としても十分に効果があるように思えた。

第三発目の弾丸が発射され、かれらはそれにつづく発射音を待った。最年長の老人が銃口を空に向けたが、男たちの耳にきこえたのは引金の金属がかすかに鳴る音だけであった。

男たちは、顔をしかめた。

「つづけてうて」

区長が、中年の銃携行者に苛立った声をかけた。

発射音が男たちの鼓膜をふるわせ、それは長く余韻をひきながら消えていった。

「おやじさん、銃をいつでも使えるように手入れをするんだ」

区長が老人に声をかけたが、老人は黙っていた。

男たちは、区長の後につづいて家の中に入った。

重苦しい空気が、家の中にひろがった。不発に終った銃をもつ老人は、日頃から猟の自慢話をし、若い頃には北海道に棲息し人畜を襲っていた狼《おおかみ》を何頭も射殺したことを繰返し口にしていた。明治初年に北海道へ移住し各地を転々とした老人だけに、狼を射殺したという話は信頼すべきこととして、かれを猟の名手と呼ぶ者も多かった。ただかれは、三毛別に来てから銃を手に山へ入ることはしなかった。それをかすかに不審がる者もいたが、鳥や小動物を射つことに興味はないというかれの言葉に疑念も消えた。それは、華々しい猟経験をもつ老人らしい態度のようにも感じられた。

男たちは、部屋の隅で銃の手入れをはじめた老人に視線を向けながら、最初に六線沢のトド松林の傾斜で羆と対した時も、老人の銃が不発であったことを思い出していた。それにつづく不発だが、かれらは六線沢へ出発してから現在まで、老人の存在がひどく影の薄いものになっていることに気づいていた。

老人にとって、羆はむろん小物ではないし、仕止め甲斐のある大物であるはずであった。が、かれは、ほとんど口をきくこともなくただ男たちに従って移動をつづけてきたにすぎない。猟のことを淀《よど》みない口調で話してきた老人とは別人のようであった。

長い間使用しないために銃が廃銃に近いものになってしまっていたのかとも思えたが、日頃から老人は、銃が猟師の生命だと繰返し言っていたし、不発に終ったことは老人が自ら猟師の資格を失っていることをしめしている。男たちは、頭を垂れて銃をいじる老人を蔑みにみちた眼でながめていた。

老人への不信は、他の四名の銃携行者にも向けられていた。かれらは、山中で野鳥や小動物を射ってきたが、羆と対した者は一人もいない。かれらは、耕作のかたわら猟を楽しんできただけのことで、猟師と呼ぶに価《あたい》しない。

二年前、アイヌの猟師が村落に羆の足跡を追って入ってきた時、猟自慢の二人の男が同行を希望した。猟師は顔をしかめ無言で拒否の態度をしめしたが、二人の男は強引に猟師の後について山中に入った。しかし、翌日の夕方、早くもかれらは疲労しきった表情で村落にもどってきた。羆の足跡を追う猟師の足どりは驚くほど早く、たちまちその姿を見失ったという。

男たちは、あらためて羆と対抗できるのは羆撃ち専門の老練な猟師以外にないことを知った。銃は羆を斃《たお》す能力をもってはいるが、それを扱う人間のすぐれた技術と豊かな経験なしには果されぬことに気づいた。

「銀オヤジを呼んだらどうだ」

若い男が、つぶやくように言った。

男たちは、若い男に眼を向けたが返事をする者はいなかった。区長をはじめかれらの顔には、不快そうな表情が露骨に浮び出ていた。

「クマ撃ち専門の猟師だという話だが、なぜ来てもらわねえんだね」

若い男が、いぶかしそうに男たちの顔を見まわした。

男たちの顔はゆがみ、中には舌打ちする者もいた。

「お前みたいに他処《よそ》から来た奴《やつ》にはわからねえよ」

中年の男が、苛立《いらだ》った眼をして言った。

若い男は、口をつぐんだ。かれは遠くへだたった開拓村の次男として生れ、四カ月前に三毛別の農家に婿《むこ》養子として入籍したばかりであった。かれは、銀四郎の名を耳にしていたが、それが村落の者たちにとっていまわしい存在であることには気づいていなかった。

山岡銀四郎は、渓流の下流方向にある鬼鹿《おにしか》村の生れであったが、少年時代から暴力をふるうことが多く、悪名は他の村落にも伝わった。かれは体格に恵まれ、徴兵検査に合格して旭川の聯隊《れんたい》に入営した。営内でも素行を改めなかったが、軍隊組織の中では意のままにならず、厳しい制裁をうけたらしく除隊後村にもどってきた折には、別人のように物静かな男になっていた。

かれは結婚し一児の父となったが、妻が他の男と情を通じて失踪《しっそう》後、性格は一変した。三カ月余も妻の行方を求めて道内を歩きまわっていたが、それも徒労に終って村にもどってくると終日酒を飲んで日をすごすようになった。

かれの言動は、荒々しかった。腰には常に羆の体を解く蛮刀をさしていて、人と争うと相手の頭に刀の背をたたきつける。相手に思いきり殴らせ、顔が血に染まっても薄笑いをうかべながら抵抗もしない。そして相手が疲労すると、それを待っていたように激しい殴打《おうだ》を浴びせかける。そうしたすさんだ生活であったので、弟夫婦が子供をひきとり、かれは孤独の身になった。

かれの生活の糧《かて》は、羆撃ちによって支えられていた。かれは十四歳の春、父を失ったが、家に遺《のこ》された無鑑札の銃を手に羆を追うようになった。そして、軍隊から帰ってきてからも猟をつづけていたが、どのようにして入手したのか樺太《からふと》司令部の刻印のうたれた軍銃を手にしていた。猟をするのは春から晩秋にかけての季節で、年に数回、一カ月ほど山中に入る。かれが銃を手に村をはなれて行くと、村人たちの表情は明るくなった。

かれが羆を追う地域は宗谷一帯の山岳地帯であったが、猟師たちはいつの間にかかれに宗谷の銀という渾名《あだな》を冠するようになっていた。羆を追う執拗《しつよう》さは比肩《ひけん》する者がなく、年に二、三頭の羆を必ず仕止める。しかも膂力《りょりょく》にめぐまれているので、他の者の力を借りず単独で村に羆を解体して運びこんでくる。百貫以上の大物を斃すことも多く、剝《は》いだ毛皮を背負って数日がかりで村に運びこんできたこともあった。

かれが羆を仕止めると、その話をつたえきいた商人が村にやってきて、クマの胆《い》と称される胆嚢《たんのう》や毛皮を相応の金額で買いとる。が、羆の肉を肴《さかな》に祝い酒を飲んで荒れる銀四郎の習性を知っている商人たちは、入手した物を馬車に積んで匆々《そうそう》に去るのが常であった。

老いがかれの性格をおだやかなものにさせるのではないか、と村人たちは期待していたが、それは裏切られた。かれの頭髪は白く、地肌もすけてみえるようになっていたが、肉体には不思議にも衰えが訪れることはないようだった。酒癖は依然として悪く、見境いもなく人に争いを強いる。漁村に行って、他の地方から流れこんできた二人の遊び人を相手に闘い、両方とも昏倒《こんとう》させて留置場に投げこまれたこともあった。

かれは、羆を売った金を手に三毛別へ姿をあらわすことも多かった。三毛別では、その附近では珍しく水稲《すいとう》に成功していて、収穫される白米を買いにやってくるのだ。

村落に入ってくるかれは、きまって酒気をおび、青白い顔に薄笑いをうかべている。そして、ふらりと農家の土間に入ってくると金を投げ出し、米と密造のドブロクを出せと言う。農家の者はかれを恐れて要求された物を差し出すが、些細《ささい》なことを口実に殴られることもしばしばだった。

村落の者たちは、かれに対する時は銀オヤジと呼んでいたが、陰では鬼銀、クマ銀と渾名していた。

ただかれは、子供に荒い言葉をかけることは決してなかった。殊《こと》に男児には優しく、近寄ると頭を撫《な》でたり金をあたえたりする。人々は、かれのそうした一面を弟夫婦と内地に去った自分の子供を思い出しているためだと噂《うわさ》し合った。

かれの顔には、常に暗い翳《かげ》がまとわりついていた。それは、妻に裏切られ去られた男の悲哀から発したものにちがいなかった。

三毛別の者たちにとって、銀四郎はいまわしい存在だった。区長の家に集った者たちの中にも、かれから手ひどく殴られ足蹴《あしげ》にされた者もいた。酒を飲んでいる折に銀四郎が突然茶碗《ちゃわん》をかみくだく習癖のあるのを知っている者も多く、かれらは、銀四郎の顔を思い出すだけでも不快なのだ。

むろんかれらは、羆が出現して以来銀四郎の助力を求めようと何度も思ったが、それを口にすることはしなかった。銃携行者は五人もいたし、自分たちの力で羆を斃すことができるという自信をいだいていたからであった。しかし、その期待はむなしく、かれらは六線沢を放棄した。しかも、頼りにしていた五名の銃携行者が羆と対決するのに心もとない存在であることも知った。

若い男の言葉に、かれらはあらためて銀四郎の存在を意識した。羆専門の猟師であるかれの参加は、男たちにきわめて有力な救いになるはずであった。

しかし、男たちは銀四郎を招く気持にはなれなかった。もしも参加を乞《こ》えば、かれは三毛別にやってくるだろうが、傲慢《ごうまん》な態度で無力な男たちを蔑《さげす》み、男たちの辛うじて保持する結束を乱すことにもなりかねない。むしろかれを招くことは、羆との対決に大きな支障になるおそれもあった。

それに、かれらはすでに銀四郎個人にたよる必要はなくなっていた。使いの者が警察に派せられていて、それは警察の組織を動かし、救援隊が出動するはずであった。

午後になると、降雪の密度が増した。男たちは、区長の家の周囲に炎をあげる焚火《たきび》に薪を加えつづけていた。

戸外が薄暗くなった頃、渓流に架けられた橋の上に立っていた男が、

「来たぞ」

と、叫んだ。

区長の家に集っていた者たちは、一斉に立ち上った。銃携行者たちは銃をかかえ、他の男たちは大鎌《おおがま》や鉈《なた》をつかんだ。かれらは、一瞬羆《ひぐま》が姿をあらわしたにちがいないと思った。

焚火の傍《そば》で見張に立っていた男が、土間に走りこんできた。

「警察の旦那《だんな》方だ」

男たちは安堵《あんど》の表情をみせ、土間で競うように藁靴《わらぐつ》をはくと雪の中に飛び出し、橋にむかって駈《か》けた。

薄暮の中を渓流の下流方向から、四頭の馬にまたがった男たちが近づいてきていた。馬は、雪に脛《すね》まで没しながらも頭を上下にふりながら力強い足どりで進んでくる。人も馬も、降雪で白くなっていたが、先に進んでくる二人の男はあきらかに制帽をかぶり外套《がいとう》を身につけていた。肩には被《おお》いをつけた銃をかけ、馬の腹部の側面には腰から吊《つる》したサーベルがゆれていた。

後方につき従っている二人の男は、羽幌警察分署に派せられた三毛別の男たちであった。

区長たちは、喜びの色を顔にあふれさせて雪道を走り出した。二人の警察官は、背筋を正しく伸ばし馬上で体をゆったりとゆらせている。その姿勢と顎紐《あごひも》をかけた顔は、威厳にみちたものに見えた。

男たちは、警察官の前に走り寄った。区長が、雪の上に膝《ひざ》をつくと他の男たちもそれにならった。

「分署長様だ」

後方の馬にまたがった男が、言った。

区長たちは、頭をさげ口々に感謝の言葉を述べた。

立ち上ったかれらの眼には涙がにじみ出ていた。そして、動き出した馬の列をかこむように移動し、小橋を渡って区長の家の前庭に入った。

馬からおり立った二人の警察官は、区長の誘導で軒をくぐると、土間で外套をぬぎズボンの裾《すそ》についた雪を払い落した。

かれらが家に上ると、区長をはじめ数名の主だった者がそれに従い、警察官を炉端に導いて再び床に手をついた。

分署長は三十二、三歳の鼻下に髭《ひげ》をたくわえた男で、炉の傍にあぐらをかいて坐《すわ》った。その後方に正坐《せいざ》した警官は少年の面影を残した二十歳前後の男で、頬が赤みをおびていた。その姿勢も容貌《ようぼう》も端正で、かれらが秩序正しい組織の中で厳しい調練をうけていることをしめしていた。

区長たちは、分署長と警官が包布の中からとり出した銃に眼を向けた。それは、村落の者たちが所持している銃とは異質のもので、連射が可能らしく銃口は二つあり、銃身、銃把《じゅうは》も逞《たくま》しくみえた。それは、常に手入れを怠らぬらしく拭《ぬぐ》い清められ、薄くぬられた油がほのかな光沢を放っていた。

銃を傍に置いた分署長が、

「村長からの要請でこちらに向う途中、使いの者に会い、詳しい事情はきいた。これから本官が指揮をとる」

と、落着いた声で言った。

区長たちは、頭をさげた。

さらに分署長は、被害地の六線沢が御料地である関係から帝室林野管理局羽幌出張所に至急連絡をとるとともに、使いを四方に派して羽幌分署管内の各町村に救援隊の出動を命じたことを告げた。そして、それらの救援隊はやがて到着するはずだともつけ加えた。

区長たちは、分署長の周到な配慮に深く礼を述べた。各町村から派遣されてくる者たちは屈強な男たちばかりが選ばれてくるはずだし、その中には当然猟の経験者も多数参加しているにちがいなかった。警察官は二人だけだが、分署長の指揮によって救援隊が統制のとれた行動をとれば、羆を斃すことは容易であるように思えた。

戸外に夕闇《ゆうやみ》がひろがり、家の中にランプがともされた。区長は、男たちに白米を炊《た》かせて魚の干物《ひもの》とともに分署長と警察官の夕食に供した。

分署長と警察官が到着してから一時間ほどたった頃、渓流の下流方向から松明《たいまつ》の炎が寄りかたまるように近づいてきてつぎつぎと前庭に入ってくるようになった。まず林野管理局羽幌出張所長が銃を手にした所員らとともに姿をあらわしたのにつづいて、近くの村々の男たちが降雪の中をやってきた。

かれらは、土間に膝まずくと分署長に村名、引率者名、人数を報告する。ほとんどが徒歩でやってきた者たちで、中年の男と若い男で構成されていた。装束は雑多で、蓑《みの》を身につけた者もいれば火消しの刺子《さしこ》を着た者もいる。得物もまちまちで、日本刀、槍《やり》、鉞《まさかり》、大鎌などをそれぞれ手にし、村田銃を携行している者も多かった。

区長は、三毛別と六線沢の男たちを督励して、かれらを附近の家々に分宿させた。

その間に松明の群は続々と雪道からあらわれ、区長の家の内外は異様な活気にみちた。区長たちの眼には、光るものが湧《わ》いていた。救援にやってきた者たちの中には、大きな数珠《じゅず》を首から垂らした者もいれば、家族と別れの盃《さかずき》をくみ交して村をはなれてきたということを口にする者もいた。死を覚悟して遠い雪道を急いできたかれらに、区長たちは感動をおぼえていた。

区長たちの顔からは、不安の色が消えていた。救援にやってきた男たちの数は百五十名近くで、銃携行者も三十名を越えている。しかも分署長と若い警官の手にしている銃は水平二連の新式銃で、それらの銃器と人員によって集団が組まれれば羆を恐れる必要はないように思えた。

救援隊の到着が一段落したのを知った分署長は、各村の引率者と三毛別、六線沢の主だった者たちを区長の家に集めた。

一同が蓆《むしろ》の上にひしめき合うようにして坐ると、分署長が隊の編成を口にした。まず総指揮は分署長があたり、地形を熟知した林野管理局羽幌出張所長と三毛別の区長が補佐することがつたえられた。

「この地図をみろ」

分署長は、区長と林野管理局員にひろげさせた大きな紙に眼を向けた。それは巻紙を飯粒で貼《は》りつないだもので、三毛別と六線沢の位置が墨で描かれていた。

「ここに半ば作られた氷橋《すがばし》がある」

かれは、地図の中央部を指さした。

そこは六線沢の村落から流れくだってきた渓流が大きく屈折し本流の三毛別川に合流している個所で、六線沢と三毛別との境界になっていた。

「クマが本流を渡るとしたら氷橋附近しかないはずだが、もしもそれを許せば、どのような事態を招くか。クマは海岸線までひろがる広い原野を自由に横行することになる。お前らも十分承知しているように、原野には多くの町村がある。クマ撃ちの者にきくと、クマは昼間物陰にひそみ、夜間に行動することが多いという。そのようなクマの習性を考えると、町や村の者たちは夜も眠れぬことになる。眠れぬだけではない。人間の肉の味を知ったクマは、次々に人を襲うことは必定だ。お前らを各町村から呼び集めたのは、それを防ぐためだ。お前らの妻や子も危険に瀕《ひん》しているのだ」

分署長は、男たちに険しい眼を向けた。

男たちは、身じろぎもせず地図を見つめていた。

「そうした不幸を防ぐためには、ここでクマを阻止しなければならない」

分署長は、氷橋の図が書かれている個所を指先でたたいた。そして、声を荒らげると、

「この地点でクマの渡るのを死力をつくして防ぐ。本官は総指揮官として、川の畔《ほとり》に本部を設け指揮をとる。妻子が可愛《かわい》ければ、自らの生命を賭《と》して戦え」

と、言った。

男たちは、無言で頭をさげた。

分署長は、さらに具体的な実行方法について説明を加え、林野管理局員に詳細な記録をとらせた。

指揮本部は、渓流際《ぎわ》にある農家大川與三吉宅に設けられ、阻止線である氷橋附近に二十名の見張り員が配置されることになった。それらの見張り員は視力のすぐれた者が選ばれ、二交代で対岸の監視にあたる。また、夜間に接近した羆の姿を確実に視認できるように、対岸に散在する岩石や樹木の数、形態等を十分に頭に刻みつけておくことが義務づけられた。

また、銃携行者を中心に班を編成し、一班を六線沢の農家にひそませて来襲する羆を迎え撃つ計画も立てられ、明早朝、行動を開始することに決定した。

ただちに見張り員の人選がすすめられ、氷橋附近の地形を熟知している六線沢、三毛別の約二十名の男たちが配置につくことになった。また銃携行者の数を調べてみると、分署長、警官をのぞいて三十八名であることが確認され、分署長の指示にもとづいて六名の銃携行者を中心に十六名構成による五班が編成され、六線沢に潜入することになった。そして、残りの八名の銃携行者は、百名余の者たちとともに本部附近の警戒にあたることになった。

編成がすべて終り、男たちは各家に散っていった。

その夜は休息をとることになり、区長は三毛別、六線沢の者たちに命じて救援隊員の分宿している家々に酒や食糧を配らせ、燃料も自由に使用するよう伝えさせた。

家々では炉に薪が惜しげもなく投じられ、ランプもともされて家の内部は明るくなった。

救援にきた男たちは夜食をとり酒をくみ交し、酔いがまわるにつれて家々ににぎわいがひろがっていった。かれらの話題は自然に羆のことに集中し、自村の農家に飼われていた緬羊《めんよう》が羆に運び去られた話や、山中で通ったばかりの羆の足跡を眼にして逃げ帰った話などがかれらの口からつぎつぎにもれた。

中にはアイヌ犬を使って数人がかりで羆を追いつめ、射殺したことを口にする猟師もいた。それは八十貫の大きな雌で、胆嚢《たんのう》を干し上げたものを今でも保存し万能薬として使用しているとも言った。

アイヌの羆撃ち専門の猟師から耳にした羆の習性を披露する者もいた。羆に襲われた折り死んだ真似《まね》をすれば助かるという説は根拠がなく、羆を仕とめるか逃げる以外に助かる道はないらしい、とかれは言った。羆は悪食《あくじき》で墓をあばき死者の肉まで食い漁《あさ》ることから考えても、死んだふりをよそおった人間が食欲の対象からはずされることはあり得ないという。

羆が賢い動物だということも、かれらの話題になった。羆は山中を自由に行動するが、老練な猟師の追尾を受けているのに気づくと、足をはやめる。人間が通りにくい足場の悪い険阻な場所を故意にえらんで猟師の接近をはばもうとする。

戻り足というものもある、と或《あ》る男は言った。

羆は、土に印《しる》される自分の足跡が猟師の執拗《しつよう》な追尾をまねく原因になっていることに気づき、空気の流れにまじる人間の体臭、銃の油の匂《にお》いなどから自分をねらう人間が背後にせまっていることをかぎとると、巧妙な手段をとって追尾者を襲うことを企てる。羆は立ち止り、歩いてきた道を引き返す。その折、羆は、自らの足跡を慎重に踏み直してゆき、一定の距離をもどるとひそかに近くの繁《しげ》みに足を踏み入れ、身をかくす。

やがて猟師が姿をあらわし、羆が近くにいることを察して銃をかまえ足を早める。かれは大きな足跡をたどってゆくが、不意にそれが或る個所で断たれていることを知る。戻り足だと気づき狼狽《ろうばい》して立ちすくんだ瞬間、羆が後方から襲うという。

そうした話に男たちの顔はこわばったが、それもわずかな間のことで、酔いが再び座をにぎやかにさせた。かれらは、四十挺《ちょう》の銃を擁し、分署長の指揮のもとに編成された二百名近い陣容に、不安を感じることもなかったのだ。

そうした者たちとは対照的に、三毛別、六線沢の男たちは、部屋の隅にひっそりと身を寄せ合って酒を口にふくんでいた。かれらは、他町村から集ってきた男たちに心強さを感じ、殊《こと》に銃が八倍にも増強されたことに安らいだ気持もいだいていた。

かれらは、陽気に会話を交す他村の者たちに時折り視線を向けては口もとをゆるめていたが、他町村の者たちのにぎわいに同調する気にはなれないでいた。

六線沢に多くの死者が出たために気が滅入《めい》っていたこともあったが、二日間にわたって羆《ひぐま》と接触したことで、かれらの肉体も精神も萎縮《いしゅく》していた。かれらの口からもれる言葉は低く、眼にも弱々しい光がやどっている。体に酔いも発しなかった。

他村の男たちは、かれらをうかがっていたが、呂律《ろれつ》の乱れた声で励ましの言葉をかけたり、中には立ってきて肩をたたく者もいた。

「おれたちが来たから安心しろや」

「びくびくするない」

酔いに顔をあからめた男たちは、笑いながら茶碗《ちゃわん》に酒をそそいでまわる。かれらの眼には、六線沢、三毛別の者たちの不幸に対する同情の色がうかんでいたが、臆《おく》した姿を蔑《さげす》むような光もただよっていた。かれらは、救援者としての優越感をいだいているようにみえた。

三毛別の者たちは、すすめられるままに酒を飲んだ。他村の者たちが言うように気持をふるい立たせねばならぬと思うのだが、気分は沈みがちであった。

その間にも他町村の者たちのにぎわいは増した。銃を手にした者の中には、銃を掌でたたき、一撃のもとに仕止めてみせると呂律のまわらぬ言葉で豪語する者もいる。そして、それを他の銃携行者が揶揄《やゆ》したことで諍《いさか》いも起ったりした。

また他の家では、日本刀を引きぬいてふりまわす者もいたし、槍をしごいて草がこいの壁を突いてみせる者もいた。それらは、それぞれの町村内で武道家の扱いをうけている者たちで、同行してきた男たちは手をたたき大袈裟《おおげさ》にはやしたてたりしていた。

三毛別、六線沢の者たちは、薄笑いをうかべてかれらと接していたが、次第に笑みも消えていた。かれらは、気まずそうに顔を見合わせ、眼を伏し加減にして黙々と茶碗酒を口にはこんでいた。

かれらの胸に、違和感がきざしはじめていた。六線沢の島川の家で事故が起った直後、救援を求められた三毛別の男たちは、銃や大鎌《おおがま》などを手に六線沢へ向った。その折に、かれらは羆を自分たちの手で必ず仕止めてみせると意気ごんでいたが、トド松の林立する傾斜地を雪煙をまき上げながら駈《か》けおりてきた羆の姿を眼にした瞬間から、かれらの自信は潰《つい》えた。それは羆が人力の到底抗し得ぬ強大な力にみちた野生動物であることを知ったためで、かれらは自分たちがただその餌《えさ》にすぎぬ非力な存在であることに気づいたのだ。

三毛別の男たちは、救援に集ってきた他町村の者たちに前日の自分たちの姿をみるような思いだった。かれらは銃や刃物の威力を信じ気負い立っているが、やがて羆とわずかでも接触すればたちまち自分たちの非力をさとるにちがいなかった。つまりかれらも、自分たちと同じように肩をすくめ弱々しく眼をしばたたいて身を寄せ合いながら移動する人間の群になるように思えた。

三毛別、六線沢の者たちは、騒がしい声をあげる他町村の者たちに不快そうな眼をむけて口をつぐんでいた。かれらに対する信頼感は、消えていた。銃携行者も三毛別の五人の射手と大差ない未熟な技倆《ぎりょう》しかない者たちだろうし、銃の中には不整備のものもまじっているにちがいない。むしろ羆の恐しさを知らぬかれらは、多人数であるだけにいたずらな混乱をまき起し、荷厄介な存在になるおそれもあると想像された。

酔った他町村の者たちとの応対に辟易《へきえき》した三毛別、六線沢の者たちは、白けた表情で席を立つと無言で戸外に出た。そして、他の家々をのぞくと、それに気づいた村落の者たちも腰をあげて外に出てきた。

かれらの顔には当惑の色が濃く、自然にかれらは区長の家に足を向けた。

一人が家の中に入ってゆくと、やがて区長を連れて出てきた。

男たちは、他村の者たちの言動を口々に区長に訴えた。

「来てくれたのはいいが、あいつらは頼りになりそうもない」

一人の男が、失望したように言った。

分署長の指示で二百名余の男たちによる組織が構成されたが、それは一人の男の力に人数を乗じたものになっているとは言いがたかった。組織は、相反した二面性をもつが、人数による単純な数値をはるかに越えた力にふくれ上ることがある反面、逆に異常なほどの弱さをしめす場合もある。救援隊の場合は、後者である公算が大きいように思えた。

たとえ酒に酔っているとは言え、救援隊の男たちの言動には、羆に対する恐れがほとんどうかがえない。かれらは、六線沢で九人が殺傷され、六線沢が放棄されたという事実を冷静に注視している様子がない。かれらは、銃と集団の力を信じているようだが、羆の力を軽視していることは危険であり、それが三毛別、六線沢の者たちにとっては不満であった。

雪はやみ、雲間から月がのぞいた。気温は低下し、刺すような寒気が体にしみ入ってきた。戸外に焚《た》かれた火は、消えていた。

区長は、灯のもれる家々に視線を向けた。かれの眼にも苛立《いらだ》った光がうかび、家々から湧《わ》き上る他町村の者たちの酔声に顔をしかめていた。

区長たちは、無言で渓流沿いに伸びている家並をながめた。

月光が、雪におおわれた家々の屋根や道、樹木、耕地を浮き上らせている。人家に灯はなく、路上にも耕地にも動くものはなかった。

区長は、自分の生れ育った村落を強く意識した。村落では営々とつづけられてきた生活があり、多くの人々が死に、多くの子が生れた。その生活の中に他村の者たちが入りこみ、酒を飲み食物を口にし荒々しい声をあげている。かれらは村落にとって歓迎すべき者たちではあったが、それが無力の集団であれば無用な闖入者《ちんにゅうしゃ》にすぎない。

「銀オヤジを呼ぶか」

区長が、寒気でこわばった口を動かした。

かれは、どれほど多くの男たちが集ってきても、組織としての力を発揮することはあり得ぬように思いはじめていた。

アイヌの猟師たちは、ただ一人で山中を歩きまわり、羆を追って斃《たお》す。かれらは他人との同行を極度に嫌い、単独で行動することを常とする。それは、自らの感覚を他者から乱されることなく羆に集中させることを願うからで、孤独であることが羆を斃す基本的な条件と考えている節がある。

羆との対決は、個と個との対峙《たいじ》かも知れない、とかれは思った。集団で対することは、むしろ変則的なことであり、羆に打ち勝つ方法としては避けねばならぬことであるのかも知れなかった。

銀四郎は老練な猟師で、人間的には忌《い》むべき男だが、そのためにかれを忌避《きひ》することは村落の長としてとるべき態度ではないとも思った。

男たちは、顔を見合わせたが、表情に反撥《はんぱつ》の色はみられなかった。

「こんなことを口にしたくはないが、おれたちには羆のことがよくわからぬ。やはり専門の者の智恵《ちえ》を借りるのが良策だと思う」

区長の声は、寒気でふるえていた。

「たしかにそうだ。分署長様が各町村に救援要請を発したと言われた時、鬼鹿村からの救援隊の中に銀オヤジも加わっているだろうとひそかに期待していたが、鬼鹿村の者たちの中に銀オヤジはいない。なぜ来てくれなかったのだろう」

三毛別で水稲《すいとう》の収穫量の最も多い男が、言った。

「鬼鹿村の連中が、銀オヤジを敬遠したためだろう」

他の男が、答えた。

「それがおかしいというのだ。日頃の恨みを云々《うんぬん》する時ではない。銀オヤジが当然来てくれてもいいはずなのだ」

稲作をしている男が、苛立ったように言った。

かれらは、会話を交している間も絶えず渓流の上流方向や樹林などに眼を向けていた。前夜とはちがって、戸外は月光に明るんでいる。もしも羆が姿をあらわせば、白々とひろがる一面の雪に羆の巨体は黒くうかび上るはずで、遠く見通せることがかれらの不安をやわらげていた。

「銀オヤジが来たら、遠くから来た連中も勢にのまれて大人しくなるかも知れぬ」

中年の男が、つぶやくように言った。

他の男たちは、黙っていた。

銃をもった者も二人まじっていたが、かれらは弱々しく眼をしばたたいているだけだった。銀四郎を招くことは、かれら銃携行者の存在を否定することになる。しかし、かれらには、反対する気持もすでに失われていた。かれらは銃をもってはいたが、なんの力もないことを自覚していたのだ。

「鬼鹿村の連中は、どの家にいる」

区長がたずねると、数人の男が渓流沿いに建つ家を指さした。

区長が歩き出すと、かれらはその後に従った。

その家は板壁造りで、内部から灯がもれ人声もきこえている。窓の蓆《むしろ》は凍りついて、月光に光っていた。

家の入口の垂れ蓆を重そうに押しあげ、区長が二人の男とともに内部へ入っていった。

男たちは、渓流沿いの雪の上で待った。談笑がやみ、甲高い人声がきこえてきた。それは区長と対する鬼鹿村の男たちの声であった。

しばらくすると、区長たちが垂れ蓆のかげから出て来た。

「あんな奴《やつ》がいなくてもおれたちだけで大丈夫だ、おじけづくなと言っている」

区長が、こわばった表情で言った。

男たちは、黙っていた。

「銀オヤジは、肝腎《かんじん》の銃をもっていないそうだ。秋に羆を一頭もしとめることができなかったので金に困り、銃を質草にして村長に金を借り、酒を飲んで暮しているそうだ」

区長と共に家に入った男の一人が、言った。

男たちは、あらためて銀四郎のすさんだ生活を意識した。と同時に、銀四郎が救援隊に参加していないのは、鬼鹿村の者たちに忌み嫌われている結果だとも思った。

「いずれにしても、あいつを連れてくる必要がある。金を持っていって銃を請け出し、来てもらおう。金はおれが用意する」

区長は、こわばった口を動かして言った。

かれらは、歩き出した区長の後から無言でついていった。そして、区長が自分の家に入ってゆくと、前庭に身を寄せ合い周囲に視線を走らせた。

各家々からもれる人声もようやくしずまって、傍を流れる渓流の音が際立《きわだ》ってきこえてきた。一人が放尿すると、他の者もそれにならった。

区長が、静まりかえった家の中から出てきた。

「四、五人で行け。どんな悪態をつかれても連れてこい。金は五十円だそうだ」

区長が、小さな布に包んだものを差し出した。

男たちは、多額の金であることに驚きの色をみせていた。日雇いに出ても一日の労賃が六十銭、住込みの下男の月の手当が五円ほどであることから考えても、猟銃一挺《ちょう》を担保に借りた金としては余りにも高額だった。おそらく銀四郎は、村長を脅して強引にそのような多額の金を借りうけたにちがいなかった。

男たちは、区長がそれほどの大金を即座に持ち出してきたことにも呆《あき》れていた。区長は農作物を積極的に漁村に持って行って魚介類や金銭に替えていたが、五十円という金は、ほとんど区長の所持している金のすべてであるはずであった。

二人の者がえらばれ、一人の銃携行者も加えられた。鬼鹿村は苫前村南方の日本海沿岸にあり、三毛別から直線で二十キロの距離にある。道といっても猟師のたどる筋道にすぎず、しかも雪におおわれた山を越えてゆかねばならない。夜を徹して急いでも夜明けまでに鬼鹿村へつくことができるか否《いな》か心もとなかった。

「難癖をつけて暴れたりするかも知れぬが、なんとかなだめて連れてこい。仏もあのままでは浮ばれぬ。クマを仕止めなければおれたちも女子供も土地を捨てなければならぬのだ。必ずつれてくるのだ」

区長は、強い語調で言った。

三人の男はうなずき、松明《たいまつ》を手にした。

かれらは、渓流にかかった橋を渡り雪道を進んでゆく。区長たちは、松明の炎が樹林の中に見えかくれしながら遠ざかってゆくのを見送っていた。

寒気に身をふるわせていた者たちは、家々に散っていった。他村からやってきた者たちも、漸《ようや》く寝についたらしく、深い静寂が村落をつつんでいた。

その日、三毛別をはじめ川沿いに点在する村落の者たちは、海岸線の苫前村方面まで群をなして避難した。多くは老人、女、子供たちで、手廻りの荷物を手に雪道をたどった。

混乱は、海岸線の漁村一帯にもひろがっていた。初めの頃は、羆《ひぐま》に六名が殺され、三名が重傷を負ったという話を信じる者はいなかった。羆が六線沢に姿をあらわし人を殺傷したことは事実にちがいないが、被害が余りにも大きいことに疑念をいだいたのだ。おそらくそれは、恐怖にかられた避難者たちの間で誇張された流言にちがいないと推測された。

しかし、やがて三毛別の男たちの手で重傷を負った六線沢の男と女と嬰児《えいじ》が苫前村の医院に収容されたことを知ったかれらは、避難者たちの口にする事故の内容が事実であることに気づき、狼狽《ろうばい》した。

海岸線の町村の空気は激しく揺れ動いた。被害の大きさから考えて、おそらくその羆は想像を絶した巨大な体をもつ凶暴な羆にちがいないと口々に噂《うわさ》し合った。

かれらは、羆が海岸線までおりてくるおそれもあると判断し、その折にはすべての舟を使って海にのがれ出ようと真剣に協議した。

そうした住民たちの動きに、苫前村役場も敏感な反応をしめしていた。村長は、すでに羽幌分署に現地救援の要請を発し、分署長も部下一名を引き連れて三毛別へ急行した。また、分署長は、各町村に救援隊を組織させて現地へ赴くよう指令した。それによって一応の救援態勢はととのえられたが、さらに第二段階の処置として、その地方一帯に配置されている分署の署員にいつでも緊急出動できるよう要求することになり、各分署に使者が派せられた。

夜に入ると、町村の随所に火が焚かれ、棍棒《こんぼう》や日本刀を手にした男たちが徹夜で警戒にあたった。

三毛別川の下流一帯とその附近の村落はすべて無人となり、三毛別に、羽幌分署長に率いられた約二百名の男たちがふみとどまるだけになった。軍隊への緊急出動要請も出されたという話も流れたが、その乞《こ》いが受けいれられても将兵が現地に到着するのは三、四日後になるはずだった。

夜が、明けた。

区長宅に泊った羽幌分署長は、午前八時に各宿舎に分宿する男たちに集合するようつたえさせた。

三毛別の村落内から芋、麦、大根などがかき集められ、やがて家々から炊煙が立ちのぼりはじめた。男たちは身仕度をととのえ、朝食をとり、昼食用の弁当を作った。

定刻に、区長の家の前の路上に二百名の男たちが集結し、二連発の新鋭銃のベルトを肩にかけた分署長が署員をつれて馬にまたがり、かれらの前に姿を現わした。

若い署員が、紙片を懐中から取り出して編成内容を再び説明し、班別に男たちを分けた。その指示にしたがって、銃携行者を中心にした六個の集団が路上に整列し、各班ごとに点呼がおこなわれた。

六線沢、三毛別の者たちは、組織立った男たちの動きに眼をみはった。前夜、酒を飲み騒いでいた他村の者たちの顔は緊張でこわばり、若い署員の指示にしたがって機敏に動き、姿勢を正して整列している。各班には数挺ずつの銃が、朝の陽光に銃身を光らせ、その周囲に槍《やり》や大鎌《おおがま》の刃が林立している。それは、前日まで区長を指揮者とする六線沢、三毛別の男たちの群とは異った秩序正しい集団に見えた。

分署長の傍《そば》に立つ副隊長の区長の顔にも、他村の者たちに対する不信の色は消えていた。かれの眼には、分署長の指揮によって男たちが統一のとれた集団と化していることに対する驚嘆の色が濃くうかび出ていた。

かれは、ひそかに多額の金を三人の男に渡して鬼鹿村に出発させたことを悔いていた。銀四郎は銃を担保にして借りうけた金で酔い痴《し》れているにちがいなく、猟のできるような状態にはないはずだった。

酒癖の悪いかれは、三人の男をおどして五十円の金を捲《ま》き上げ、それを酒にかえてしまうかも知れなかった。たとえ銃を手に三毛別にやってきたとしても、酒を飲んで他の者と争いを起すおそれが多分にある。

銀四郎は羆撃ちの名手と言われているが、人を六名も殺した羆はかれのそれまでに仕止めた羆とは異質のものであるにちがいなく、猟師としてのかれの能力がどの程度通用するか疑問でもあった。巨大な羆は個人の力では到底及ぶべくもない存在で、組織の力による以外には斃《たお》すことはできないのかも知れぬとも思い直した。

無駄なことをしてしまったらしい、とかれは胸の中でつぶやき、整然と各班別に立ち並ぶ男たちを見つめた。軍籍に身を置いていた者も多くまじっているというが、中年の男たちの眼には鋭い光がうかび、若い男たちの顔は紅潮していた。

若い署員が、

「出発」

と、甲高い声で言った。

分署長は、手綱をひいて馬の頭をめぐらすと雪道を進みはじめ、その後から六個の集団がつづいた。

空は青く、雪は輝いていた。樹木をおおう雪は夜の間に凍りつき、枝から光ったつららがたれ下っている。分署長と署員の乗る馬は、長毛におおわれた太い脚を力強くふんで雪を散らしながら渓流沿いの道を進んでゆく。

三毛別の村落を出た集団は、白い呼気を立ち昇らせながら上流方向にたどった。風はなく、渓流の両側に迫る樹林も山肌も、雪におおわれ静まりかえっていた。

かれらは小休止もせず雪道を進み、一時間後には、三毛別と六線沢の境界の渓流に架けられた未完成の氷橋《すがばし》に近寄った。渓流の手前には、草がこいの大川與三吉の家が雪に埋れて建っていた。

「あれが本部に予定された農家です」

区長が足を早めて馬に追いつき、言った。分署長は無言でうなずき、区長の案内で道をそれると大川宅前で馬からおりた。

その時、最後尾の班から一人の男が走ってくると、下流方向からだれかがやってくると報告した。

区長は振返り、今来た道に眼を向けた。たしかに二頭の馬にまたがって急いでくる男の姿がみえる。

分署長と若い署員が双眼鏡をとり出し眼をあてた。署員の口から、古丹別駐在所員と医師の名がもれた。

大川宅前の畠《はたけ》の上に集結した男たちは、二人の男の近づくのを見守った。一人は銃を肩にした警察官で、他はラッコの帽子をかぶり黒い外套《がいとう》をまとった老人だった。

二頭の馬は、畠をおおう雪の上にふみこんでくると、分署長の前でとまった。そして、下馬した中年の警察官は分署長に敬礼し、医師はラッコの帽子をとって頭をさげた。

分署長は、それに応《こた》えたが、すぐに男たちに顔を向けると甲高い声で見張り員に渓流沿いの配置位置につくことを命じ、他班に小休止をつたえた。

見張り班の指揮者は六線沢の者で、かれはただちに班員とともに渓流沿いに散った。また他の班の者たちは、携えてきた蓆《むしろ》を雪の上に敷いて腰をおろした。

分署長は、大川宅に入ると、監視を容易にするために渓流に面した窓の垂れ蓆をまき上げさせた。家の中には、家族があわただしく避難したらしく器物がころがり、衣類も散っていた。

ついてきた区長たちが炉に火を熾《おこ》し、窯《かまど》に釜《かま》を据えて湯を沸かしはじめた。

分署長に招かれて、医師が古丹別駐在所員とともに入ってきた。

「検視のために参りました」

古丹別駐在所員が、土間に立って言った。

分署長は、丁重な口調で医師に炉端で煖《だん》をとるように言った。

医師はうなずくと、藁靴《わらぐつ》をぬぎ、あぐらをかいて坐《すわ》ると火に手をかざした。

かれは、苫前村に収容された三名の重傷者の状態を淡々とした口調で分署長に説明した。それによると、明景家の三十四歳の主婦は、頭部、顔面に裂咬傷《れっこうしょう》、一歳の四男は頭部咬傷、島川家の寄宿人である五十九歳の通称オドは右腕、右臀《でん》部《ぶ》、左大腿部《だいたいぶ》いずれも裂咬傷で、それぞれ瀕死《ひんし》の重傷を負ったが、生命を失うまでには至らぬと診断したという。

その後、羽幌分署の本署である増毛警察署の署長は、六線沢で殺害された五名の死者の検視を医師に要請した。死体は島川家に二体、明景家に三体放置されているが、その遺体を検案するように指示されたのだという。

医師の表情には、苦渋の色が濃かった。

老齢のかれは、未開の地に腰を据えて医業をつづけてきただけにその顔には物に屈することのない強靭《きょうじん》な意志があらわれていた。が、三名の重傷者を診断したかれは、傷の状態から察して死者の体が無残に損われているはずだと推定し、羆の残忍さにも気づいていた。かれは、羆が類のない強大な力をひめた獰猛《どうもう》な野獣で、今後も人間を襲う可能性が十分にあると推測していた。

「検視をしたいが、殺害現場に行けますかね」

老医は、口もとをゆがめて言った。

炉に薪を加えていた区長は、苛立《いらだ》った眼を老医と分署長に向けた。現在全力を注がねばならぬのは、六線沢にひそんでいると想像される羆の生命を断つことで、被害者の検視はその後でおこなわれるべきだと思った。検視をしたとしても、それによって得るものは何もない。老医が検視した資料は増毛警察署に提出され、それは書類にまとめられて上部の警察組織に報告されるにすぎない。現地に近い警察署として果さねばならぬ義務なのだろうが、まだ事故は進行過程にあって、それが終結する見通しも立っていない時に、検視などという悠長なことは不必要なのだ。

区長は、分署長が事情を説明し、検視の段階にはないと医師に告げることを期待したが、分署長は、

「警戒のために救援隊員を護衛につけさせます。検視をしていただきましょう」

と言って、若い署員に随行者の編成にとりかかるよう命じた。

区長は、失望した。分署長は、上司の増毛警察署長の命令を忠実に実行することしか念頭にないらしい。それは警察組織に属す分署長として当然の義務なのだろうが、組織に身をしばりつけられている分署長の態度が愚かしいものに思えた。

ただちに若い署員が銃携行者二十名を各班から選抜し、他に二十名の男をふくむ特別班を編成した。その中には、案内係として三毛別の区長と五名の六線沢の者も加えられた。

老医師は無言で炉の火に眼を向けていたが、随行してきた古丹別の駐在所員とともに腰をあげると、家の外に出た。

雪の上には、四十名の男たちが老医を待っていた。

分署長が、老医につづいて出てくると、特別班の指揮をとる古丹別の駐在所員に、五個の死体の検視をする医師の護衛と同時に、六線沢内部の偵察もおこなうよう指示した。

男たちの顔は緊張でこわばっていたが、その中にふくまれた六線沢の五名の男たちの顔には、他の村落の者たちとは異った表情がうかんでいた。かれらは手に鎌や鉈《なた》をもっていたが、眼に落着きを失った弱々しい光がうかび、他の男たちの間でおびえたように肩をすくませていた。

老医が重い足どりで歩き出すと、男たちは前後に散って雪道に出た。銃には弾丸が装塡《そうてん》され、槍の鞘《さや》がとりのぞかれた。

かれらは、作りかけの氷橋に近づくと、用意しておいた二本の長い丸太を渓流の上に架け、一列になって対岸に渡った。その動きを、分署長たちは、本部にあてられた農家の前で身じろぎもせずに見つめていた。

老医と古丹別駐在所の警察官をかこむ男たちは、一団となって渓流沿いの道を進んだ。路上をおおう雪は凍りついていて、かたい雪をふむ音が渓流の上方へ移動していった。

男たちは、弱々しい眼をした六線沢の男たちの顔にしばしば視線を向けていた。六線沢の者たちに対して向けられるかれらの感情は、さまざまだった。

或《あ》る者は、同じ村落の者を殺害され、羆《ひぐま》の来襲にさらされて逃げまどったかれらが精神的な強さを失った人間に化しているのも無理はないと思った。また他の者は、二十人の銃携行者が加わっている集団の中にいながら、落着きなく周囲に眼をくばりながら歩く六線沢の者たちに軽侮の念をいだいていた。

かれらは、六線沢の者たちを励ますように笑顔を向けたり、無言で肩をたたいたりしていた。

渓流の右手に人家がみえてきた。さらに五百メートルほど進むと第二の人家につづいて池田富蔵という男の家も樹間からあらわれてきた。男たちは、渓流越しにそれらの家の近くでとまると、附近をうかがった。しかし、家の周辺には羆の足跡らしいものは発見できず、眩《まば》ゆい雪の輝きがひろがっているだけであった。

前日の雪で渓流の表面が厚くとざされたらしく、水の走る音もせず深い静寂が村落をつつんでいた。かれらは、雪をふみながら緩い登り傾斜の道を進んだ。

道の所々に、燃えつきた松明《たいまつ》が黒々とその先端を雪の表面から突き出していた。前々夜集団で村落から逃れる途中、羆の接近をふせぐために路傍に突き立てた松明だった。

男たちの顔に、緊張の色が増した。銃をにぎり直す者もいたし、弾丸が装塡されているのをあらためてたしかめる者もいた。

人家が、また渓流の右岸にあらわれ、さらに道をたどると四戸の人家が寄りかたまっている個所にたどりついた。

「まだか」

指揮者の警察官がたずねると、六線沢の男は、前方三百メートルほどの樹木のかげにうずくまるようにして建っている小さな家を指さした。

「あれが、明景の家だな」

警察官が略図を手にして言うと、男たちは無言でうなずいた。

「現場が近い。あたりをよく見張れ」

警察官が、低い声で言った。

男たちの歩みが、鈍くなった。銃を持った者は、前後左右に銃口を向け、一歩一歩足をふみしめるようにして進む。

瀬音が、前方からかすかにきこえてきた。その附近は川幅が幾分広く、雪面から澄んだ渓流の水の輝きがのぞいていた。

明景の家の二十メートルほど手前で足をとめた男たちは、家とその周囲をうかがった。かれらの眼は、家の一部に据えられた。そこには草がこいの壁に垂れ蓆の窓がうがたれていたが、その部分からわずかに内部がのぞきみられた。羆が家の内部に押し入った個所であった。

すでに男たちの中には、六線沢の者たちに軽侮の眼を向ける者はいなかった。家の内部には三個の死体が放置されている。羆が女や子供を食い殺した現場を眼にして、かれらの胸にも恐怖感がつき上げてきたようだった。

警察官が、家に近寄った。

「クマが中にいるかも知れないぞ」

区長が、低い声で言った。

男たちは足をとめ、家の周囲に視線を走らせた。雪の上に足跡はなかったが、羆が家の内部に身をひそませていることも想像された。

銃口が一斉に家に向けられている中を、警察官と区長が家の破れた個所に近寄り、内部をうかがった。雪の反映で家の中は明るく、生き物のひそむ気配は感じられなかった。

かれらが内部に姿を消すと、老医につづいて十名ほどの男たちが破れた出入口の蓆を排して土間に足をふみ入れた。

大半の者たちは家の外に立って周囲に警戒の眼を向けていたが、不意に家の中から三人の男たちが走り出てきて雪の上に身をかがめ嘔吐《おうと》するのを眼にした。かれらの顔には血の色が失われ、頰がひきつれていた。

老医は、土間に立ちすくんで死体の群を見つめていたが、歩み寄ると死体に手をかけた。そして、紙片をとり出すと、後を振り返って六線沢の者に遺体の氏名をただし、検視結果を簡単に書きとめた。

明景の三歳になる三男は頭部・肩部《けんぶ》・胸部裂咬創、その家に避難していた斎田石五郎の三十四歳の妻は右側胸部・腹部・右大腿部裂咬創、三歳の次男は肩部・胸部裂咬創と記録された。

家の内部にふみとどまっていた数人の男たちは、老医の動きを凝視していた。かれらの眼には、臆《おく》する風もなく恰《あたか》も荷物でも扱うように遺体に手をかけ、紙に筆を走らせるかれへの驚きと畏敬《いけい》にみちた光がうかんでいた。

老医の落着いた動作は、多くの死者にふれてきた豊富な経験がもたらしたものにちがいなかったが、家の内部に散乱する遺体は、過去に数多く眼にしてきた死者のそれとは比較にならぬほど無残なものであるはずだった。甚《はなは》だしく損われたそれらの遺体を無表情に扱う老医が、感情というものを失った人間に思えた。

老医が大儀そうに立ち上り、入口に向うと男たちもそれにつづいた。

老医は、眩ゆい雪の輝きに眼をしばたたくと血に染った掌を雪の中に突き入れてこすり落した。そして、区長に眼を向けると、

「次は？」

と、言った。

区長は、無言で渓流の上流方向を指さした。

老医はうなずき、雪をふんで道に出ると先に立って歩き出した。小柄なかれの背骨

は少しまがっていて、足どりもおぼつかなかった。ラッコの帽子もすりきれていて、外套も古び、織目が浮き出ていた。

雪に足をとられながら歩く老医の姿は、区長たちの眼に威厳にみちたものに感じられた。区長たちはかれを守護するように進んだ。

三個の遺体を眼にした三人の男たちは、別人のようにおびえた表情をしていた。かれらの唇は白く、口中がかわくのか絶えず唇をなめる。腰に力が失われているらしく、ふみ出す足もよろめきがちであった。

三人の男たちの変化は、他の者たちに影響をあたえた。家の内部からよろめき出てきて嘔吐したかれらの姿に、遺体の無残さを想像すると同時に、羆の凶暴さに戦慄《せんりつ》も感じていた。かれらには、羆を斃《たお》すという昂《たか》ぶった感情は失《う》せていた。

不意に先頭を歩いていた者たちの中から、短い声が起った。後続の者たちは、足をとめた。

道傍《みちばた》に黒いものがみえた。それは雪に埋れていたが、あきらかに動物の大きな排泄《はいせつ》物《ぶつ》であった。

猟の経験者が進み出ると、近くの雪面に眼をこらした。かすかなくぼみが道沿いに印《しる》されていて、それは左方向に折れて深い樹林の中に消えている。

「クマだ」

くぼみを眼で追った男がつぶやくと、排泄物を見下した。

医師が近寄り、指先で排泄物をおおう雪を掻《か》きのぞいた。そして、かたく凍った黒いものに指をふれさせた。

「人を殺したクマだ。糞《ふん》に人肉と髪が入っている」

かれは、腰をのばすと言った。

男たちの顔がこわばり、かれらは周囲に血走った眼を向け、互に身を寄せ合った。

「雪は、いつやんだ？」

医師が、区長に顔を向けた。

区長が昨夜の八時頃だと答えると、医師は、

「クマがここを通って脱糞したのは、それ以前だ。今通ったわけではない」

と、雪におおわれた排泄物を見下しながら言った。

区長は、医師が冷静さを失っていないことに感嘆した。

「次の家は、まだかい。二つ仏があるそうだな。早くしてくれや。クマの餌《えさ》になるのはごめんだからな」

医師は、鼻梁《びりょう》の上方に深い縦皺《たてじわ》をきざませると雪道にもどった。顔は、少し青ざめ

ていた。

男たちは、歩き出した。それまでは雪道をほぼ二列になって歩いてきたが、明景の家を出た時から列は乱れ、さらに羆の排泄物を眼にしてから前後に短縮していた。

かれらは、ほとんど体を密着させるように緩慢な動きで上流方向にむかってゆく。前を歩く男の雪靴に爪先《つまさき》をぶつけ合いながら、絶えず視線を周囲に走らせていた。六線沢の男たちと他村の男たちとの区別はつかなくなっていた。かれらの顔には一様に血の気が失われ、足は萎《な》えていた。

先頭を行く者は、後方からつづく男たちに押され、体をのけぞらせるように足をふみ出してゆく。その道の右前方に六線沢でただ一軒の板でかこわれた島川の家が近づいてきた。

男たちの集団は、家の三十メートルほど手前で停止した。かれらの眼は、裂けた板壁の新しい木の肌にそそがれた。

かれらは、通夜《つや》がおこなわれていた時羆が死者の棺がおかれていた部屋の壁を押しやぶって内部に入りこんできた話を思い出していた。板壁の裂けた部分が侵入した個所にちがいないが、ほとんど床から屋根の近くまで達するほどの大きな破れ目に、男たちは眼をみはった。

「足跡はなさそうだな」

医師と肩を並べて立っている警察官が、かすれた声で言った。

男たちは、家の周囲の雪面を眼でさぐった。その附近は日当りがよく、雪の表面が水分をふくんでまばゆく輝いていた。

かれらは再び動き出し、銃を手にした者たちが銃をかまえながら家の裏側にまわった。その附近にも羆の足跡らしいものはなく、裏手の渓流をおおう雪にも異常はみられなかった。

老医が足を踏み出すと、垂れ蓆《むしろ》のずり落ちた入口の方へ歩き出し、その後から警察官がついてゆく。区長も銃を手にした数人の男とともに歩いていった。

老医と警察官が家の内部に消え、区長たちもそれにつづいた。遠く下流方向で渓流の音がしているだけで、あたりには深い静寂がひろがっていた。

家の内部からも、物音はしなかった。路上に身を寄せた男たちは、老医たちの出てくるのを待った。長い時間に思えた。かれらは、検視が一刻も早く終了し、帰途につくことを強く願っていた。

やがて老医の小柄な体が出入口からあらわれ、再び赤く染った掌を雪の中に突き入れるのがみえた。そして、区長たちにかこまれながら道にもどってきた。

「この寒さだ。どの仏も凍っていて腐敗はしていない。早く運び出しな」

医師は、手を布切れでふきながら無表情に言った。

「運ぶことは考えていません」

区長が、即座に答えた。

医師が、いぶかしそうな眼を区長に向けた。

「増毛本署の署長は、検視後すぐに現場から仏を運び下すようにと言っていたが……」

医師は、言った。

区長の顔が、ひきつれた。

「それは、困ります。六線沢の者たちとも話し合った結果、死体はこのままにしておくことにきめたのです」

「なぜだね」

老医の顔に不審そうな色がうかんだ。

「囮《おとり》だからです」

区長は、ためらうこともなく言った。

「囮？」

「そうです。もし遺体を下流にはこびおろしたら、クマは餌をとられたものと思って必ず下流方向におりてきます。遺体をこのままにしておかないと人の命がそこなわれます」

区長は、言った。

「そうか。それは、おれに無関係のことだ。あんたたちと警察の問題だ」

老医は、興味もなさそうに言った。

区長は、警察官に血走った眼を向けると、

「このままにしておいて下さい。囮にして残しておかないと他の者が襲われます」

と、言った。

警察官の顔に、困惑の色がうかんだ。

「しかし、命令だからな」

かれの口から、弱々しい声がもれた。

「それは、われわれにまかせて下さい。私が責任をとります」

区長の眼は、血走っていた。

「囮か」

老医の顔にかすかな笑みがうかんだ。

警察官は、口をつぐんだ。

老医が歩き出した。警察官は少したためらっていたようだが、無言で後につづいた。それを待っていたように、男たちは一斉に雪道を下流方向へ引返しはじめた。

かれらは足を早めたが、身を寄せ合っているので他の者に足をとられて転ぶ者も多かった。そして、羆《ひぐま》の排泄物が置かれている個所にくると動きはにぶくなり、そこを通りすぎると再び足を早めた。かれらの息づかいは荒かった。一人が転ぶと、後続の者が折り重った。銃も衣服も雪でおおわれた。

明景の家の前を通りすぎると、集団はわずかにひろがり、動きがはやまった。老医はおくれがちになり、氷橋《すがばし》の近くに達した頃には最後尾になって、わずかに警察官と区長が付添っているだけだった。

本部の置かれた農家周辺に集っていた救援隊の者たちは、対岸の雪道に姿をあらわした男たちを見つめた。農家から垂れ蓆をはねて分署長も出てくると、渓流の岸に近づいた。

かれらの眼にはいぶかしそうな光がうかんでいた。二列になって渓流沿いの道をのぼっていった男たちは、思い思いに道をくだってくる。かれらは小走りに他の者を追い越し、坂の途中でころぶ者もいた。

そうした男たちの姿に、分署長や救援隊の者たちは、事故が起ったにちがいないと思った。検視医の護衛を任務にしたかれらが、医師を無視したように先を争って道をくだってくる姿は異常であった。

氷橋の傍の丸太を男たちが渡りはじめると、分署長たちは橋の袂《たもと》に近づいていった。救援隊の者たちは、氷橋を渡ってくる男たちの顔が変貌《へんぼう》しているのに気づいた。呼吸は荒く、顔色は青い。眼の光は焦点を失ったように乱れ、頬はひきつれていた。

「どうした。クマが出たのか」

男の一人が、不安そうに声をかけた。が、男たちは頭をふっただけで、雪の上に敷かれた蓆の上に腰をおろした。

老医が区長に手をひかれて丸太を渡り、近づいた分署長とともに農家の方へ歩いていった。

炉端に腰をおろした医師は、桶《おけ》に湯を入れさせると、静脈の浮き出た手を丁寧に洗った。

「被害者の状態は、いかがでした」

分署長が、医師に問うた。

医師は、布で手を拭《ぬぐ》いながら、

「ひどくやられていましたよ。初めに襲われた家の主婦、島川タエですか。これはもう死体というようなものではなかったですな。片脚の膝下《ひざした》と頭蓋骨《ずがいこつ》が少々と、毛髪が若干残っていただけで、あとはなにもありませんでした」

と、抑揚の乏しい声で言った。

分署長や土間に入ってきていた救援隊の男たちは、身じろぎもせず医師の顔に視線を据えた。

「あんなひどいものを見たことはありませんな。妊婦の体からは胎児がかき出されていたし……」

医師は、唇をすぼめて白湯《さゆ》を飲んだ。

「遺体はどうしました」

分署長が、たずねた。

「そのことは、あの人にきいて下さい。囮に残しておくことにきまっているそうです」

医師が、壁ぎわに坐《すわ》っている区長に眼を向けた。そして、再び湯をすすると、

「さて、それでは帰らせていただきますか。役目も終ったし……」

と言って、腰をあげた。

「もう少し休んでいかれたらどうです」

分署長が、老医を見上げた。

「いや、帰らせていただきましょう。年をとると、仕事をするよりも自分の家の炬燵《こたつ》でゆっくり茶を飲んだ方がいい。検案書は、増毛の本署に差し出しておきます」

老医は、ラッコの帽子をかぶった。

土間におり戸外に出た医師は、淡々と遺体に接した折の威厳は消え、ただの小柄な老人にもどっていた。皺のきざまれた顔に疲労の色がにじみ、雪の上をおぼつかない足どりで馬のつながれた樹木に近づいてゆく。そして、短い足先を鐙《あぶみ》にかけると、付添いの警察官に体を押し上げられて馬にまたがった。

農家の外で見送る分署長に、警察官が馬上から敬礼し、老医を乗せた馬と並んで道に出た。

二頭の馬は、ゆっくりと進んで樹林の中に没していった。

分署長は、炉端にもどると検視医を護衛していった一隊の主だった者と案内役の三毛別区長を招いた。

かれは、村落内の状況についてたずねた。それに対して護衛班の主だった者は、前夜雪のやむ前に排泄《はいせつ》したと思える人肉と頭髪のまじった羆の糞《ふん》と足跡を眼にしたことを告げた。

「それだけか」

分署長は、男たちの顔を見まわした。

かれは、下り傾斜の道を無秩序に急いでおりてきた男たちの姿に、羆が出現し襲ってきたのではないかと想像していた。男たちの顔に激しい恐怖の色があらわれていたし、初めて眼にした羆の姿に気が顚倒《てんとう》したにちがいないと思っていた。それだけに、村落内で羆の排泄物を見ただけだという報告は意外だった。

「なにか物音はしなかったか」

分署長は、たずねた。

「いえ、なにも……」

中年の男が、低い声で答えた。

「それならばなにも恐れることはないではないか。お前らの姿は、まるで逃げ帰ってきたようだった」

分署長は不快そうに顔をしかめたが、急に感情が激したらしく、

「銃を持った者が二十名もついていて、なにを恐れることがある。そんなことでどうする。お前らの村の名折れではないか」

と、荒々しく言った。

男たちは、土間に立ったまま黙っていた。

分署長は腹立たしげに眼をしばたたいていたが、思い出したように区長に顔を向けると、

「本署では、検視終了と同時に遺体をはこびおろして苫前《とままえ》に送るよう命じてきたが、それをなぜ拒んだのだ」

と、言った。

「危険だと思ったからです。もしも死体をはこび出しますと、クマはさらに凶暴性をつのらせ、この三毛別から苫前方面までおりてくることが予想されます。そうした折には、また人が襲われます」

区長は淀《よど》みない口調で答えた。

「なにを言うか。この方面に出てきたら好都合ではないか。ただちに射殺できる」

分署長の言葉に、区長は口をつぐんだ。が、分署長を直視すると、

「この方面に出てくれれば好都合かも知れませんが、ほかの地域にまわったとしたら大騒動になります。またこういうことも考えられます。死体を運びおろしますと、クマは餌《えさ》が失われたことを知って冬ごもりをするために山中奥深く入ってしまうかも知れ

ません。もしそのようなことになりましたら、仏たちは浮ばれません。肉親を殺された遺族もやりきれない気持になります」

と、言った。

分署長は、区長の顔を無言で見つめた。

「仏は、囮としてそのまま放置しようとみなで決めたのです。遺族たちも諒承《りょうしょう》してくれています。餌として肉親の死体を残すのは堪えがたいことですが、それを承知してくれたのです」

区長の眼が、うるみをおびた。

分署長は、炉の炎を見つめていた。

「すると、遺体を残しておけば、羆を六線沢の村落内にとどめておく効果があるというのだな」

分署長が、口をひらいた。

区長は、そうだと答えた。

分署長は、思案するように口をつぐんでいたが、しばらくして顔をあげると、

「お前らがそのように望んでいるのならやむを得ぬ、本署に伝えておく」

と、言った。

区長は、頭をさげて土間におりた。かれは、この口髭《くちひげ》をはやした男はまだなにもわかってはいないのだ、と胸の中でつぶやいた。分署長は、顔色を変えて逃げ帰ってきた男たちを罵《ののし》った。たしかに男たちは、羆におそわれたわけではなく、物の影におびえたにすぎない。しかし、かれらは、村落内の深い静寂に一頭の食肉獣のひそむ気配をかぎとった。野獣の息づかいを身近に感じ、六線沢が羆の支配する地であることを知った。それによって、かれらは競うように六線沢をはなれたのだが、それを責めることはできないはずであった。

区長は、医師に随行して村落に入っていった男たちに親近感に似たものをいだいていた。少くともかれらは、三時間足らずの行動によって、自分たちと同じ感情の動きをしめす人間になったことはあきらかだった。

戸外に出た区長は、蓆《むしろ》の上に坐るかれらをみた。かれらは虚脱したように身を寄せ合い、時折り氷橋の向うに伸びる六線沢の方向に眼を向けている。

他村の者たちがかれらを取りかこみ、なにかたずねている。他村の者たちは、口をつぐんでいるかれらの態度が推しはかりかねるらしく、釈然としない表情をしていた。

午食が配られ、それを食べ終った頃、分署長から新たな命令が出された。それは、六線沢に前進基地を設け、村落内にひそむ羆の動きを探るという内容であった。前進基地のおかれるのは、六線沢の渓流沿いに点在する十五戸のうち下流地域にある氷橋から三軒目の池田富蔵宅であった。

分署長は、銃携行者七名をふくむ班に池田宅へ赴くことを命じ、六線沢の男三名を加えた。総勢四十一名であった。また銃携行者二十名による一隊を組織し、若い分署員を指揮者として渓流沿いの探索を命じた。

編成が終ったが、前進基地で自炊する必要があるため食糧を三毛別から補給することになり、まず探索隊が先発し、基地隊の出発は午後三時すぎに決定した。

区長は、探索隊が渓流を渡り六線沢の村落内に消えてゆくのを見送った。かれらは、列を作って去ったが、医師に随行していった者たちと同じように逃げ帰ってくるにちがいないと思った。氷橋を境に対岸の地は別世界で、そこに足をふみ入れた者は異様な空気にふれて精神の平衡を失うはずだった。

やがて日が傾きはじめた頃、警察官をまじえた探索隊が一団となって対岸の雪道に姿をあらわし、足早やに氷橋の方向にくだってくるのがみえた。

かれらの動きを眼にした区長は、自分の想像が的中したことを知った。途中でころんだらしく胸のあたりまで雪が附着している者が多く、宙をふむような足どりで歩いてくる。そして、氷橋の傍の丸太を渡ってくると、崩れるように蓆の上に坐りこんだ。

かれらの顔は青ざめ、眼に落着きを失った光がうかんでいた。

若い警察官の唇も白く乾き、区長のさし出した茶碗《ちゃわん》の水をひと口飲むと、農家の入口に立っている分署長に近寄った。かれは、敬礼し、分署長の後から農家の垂れ蓆をくぐった。

区長は、数人の男とそれにつづいた。

西日が窓からさしこんでいて、農家の内部は明るかった。

炉端に正坐《せいざ》した署員が、分署長に状況報告をおこなった。探索隊の者たちは、三個の遺体が放置されている明景宅の近くまで行き、そこから引返してきたという。

「明景の家には入ってみなかったのか」

分署長の問いに、若い署員はひるんだような眼をして、はいと低い声で答えた。

分署長の顔に不満そうな表情がうかんだ。そして、署員の顔から眼をそらすと、

「その間、羆《ひぐま》の動きを知るようなものをなにかみたか」

と、たずねた。

署員は、なにもみなかったと答えた。

二人の間で言葉が交されたが、分署長の表情には苛立《いらだ》ちの色が濃く、署員の顔はひきつれた。探索隊は、なにも眼にはしなかった。かれらは明景宅に近づき、引返して

きただけだった。明景の家から氷橋《すがばし》まで九戸の農家が点在しているが、内部を調べることもなく路上からながめただけで通り過ぎたという。

「池田富蔵の家には、基地隊の者たちが到着していたろうな」

分署長が言った。

「おりました。外に見張りも立っていました」

署員は、答えた。

区長は、外へ出た。西日が雪面を華やかに染めている。うつろな気分であった。若い署員が、逃げるようにもどってきたことが淋《さび》しかった。他村の者たちと異って若い署員は、警察組織の中で鍛えられただけに強靱《きょうじん》な神経をそなえていると思っていたが、期待は裏切られた。制服・制帽をつけ新式の二連銃とサーベルを携えているが、かれは一人の若者にすぎなかった。

区長は、分署長も決して例外ではないと思った。おそらくかれも、六線沢に一歩足をふみ入れれば、若い署員と同じように足も萎《な》えてしまうにちがいなかった。

日がさらに傾くと、雪の上に敷かれた蓆がたたまれ、男たちは散りはじめた。本部の農家には、対岸を見張る者をふくめて約三十名が泊りこみ、他の者は下流方向にある三戸の農家に分宿することになった。

区長は、三毛別、六線沢の者たちと本部の農家に最も近い草囲いの農家に入った。日は没し、内部には濃い闇《やみ》と寒気がひろがっていた。

ランプが灯《とも》され、炉に火が熾《おこ》された。男たちは大鍋《おおなべ》を自在鉤《じざいかぎ》にかけ、その中に雑穀と芋を入れた。やがて雑炊の煮える匂《にお》いが漂いはじめた。

食事は交代でとり、鍋が空になるとまた新たに雑穀と芋が煮られた。口をきく者もなく、雑炊をすする音がきこえるだけであった。

かれらの顔には、わずかではあったが安らいだ表情がうかんでいた。それは、六線沢に羆が出現して以来、初めてみせた表情であった。

かれらは、自分たちが身を置いている家に羆が姿をあらわすことはほとんどないことを知っていた。かれらの集った家の上流方向には、分署長たちのいる農家と、さらに六線沢の池田富蔵の家がある。羆が襲うとしたらそれは第一に池田宅であり、その後に見張りの配置されている本部の農家であるはずだった。もしも、その二戸のいずれかが襲われたら、当然叫び声と銃の発砲音がきこえるにちがいなく、それまでは安全と考えてよいはずだった。

「銀オヤジは、来てくれるかな」

区長が、つぶやいた。

男たちは、区長に顔を向けた。かれらも、区長と同じことを考えていた。他村から救援にきてくれた者たちは、予想した通り無力な男の群にすぎない。老医に随伴してきた中年の警察官も探索に出た若い警察官も、他村の男たちと六線沢の村落内の道を往復しただけであった。

「昨夜の勢いは、奴《やつ》らにない」

一人の男が低い声で言うと、他の者たちは口々に他村の者たちの批判をはじめた。

或《あ》る男は、明景の家に放置された遺体を眼にした男たちが、本部前にもどってきてからも午食をとることもしなかったと言った。また他の男は、探索隊に加わった者の一人が、恐怖のために失禁したことを口にした。

「あの若い巡査にしたってそうだ。巡査について行った奴からきいたのだが、帰途、池田の家で見張りに立っていた基地隊の者を、羆とまちがえてあやうく射《う》ちそうになったと言っていた。人間を羆とまちがえるようじゃ心細い」

中年の男が、苦笑した。

「何人来てくれても、頼りにはならぬ」

男たちの中から吐息をつくような声がもれた。男たちは、背を丸めて黙りこんだ。

たしかに人がどれほど集ってきてくれても解決にはならない、と区長は思った。警察という組織も、結局は人間の集合体にすぎず、羆の前では無力に近い。それは凶悪な犯罪者を捕える能力をもつ組織ではあっても、羆に対しては非力な存在にすぎぬかも知れぬ、と思った。

区長には、鬼鹿村の銀四郎が特異な存在に感じられた。かれは、単独で山中に入り羆を斃《たお》すという。それは信じがたいことだが、かれはそれを現実に果し、仕とめた羆の数は百頭を越えると噂《うわさ》されている。

区長は、その地方でただ一人のクマ撃ちである銀四郎の参加なしには羆を斃す可能性はないと思った。

「おそいな」

かれは、つぶやいた。

昨夜出発した三人の男は、銀四郎のいる鬼鹿村に明け方頃にはついているはずだった。村長から銃を請け出しすぐに道を引返せば、午後には姿をあらわすはずであった。使者に立った男の一人は猟師で、鬼鹿村への山越えの道筋も二度通ったことがあると言っていたし、道に迷うとは考えられない。おそらく銀四郎が酒に酔っていて、連れ出すことに手こずっているのだろうと想像された。

食事を終えると、大半の者たちは居眠りをはじめた。二晩ほとんど睡眠をとることもなかったかれらの体に、急に疲労が湧《わ》いてきたようだった。冷気が増し、男たちはさかんに薪を炉に加えた。月は雲にかくれているのか、窓の外は暗かった。

「酒を飲みてえ」

土間の隅から、低いつぶやきがもれた。

かれらは、近くの二軒の農家に分宿している他村の男たちを思った。前夜のように酒気をおびた甲高い声はきこえなかった。かれらは持参した酒をひっそり酌《く》み合っているにちがいなかった。

かれらは、それぞれ酒と食糧を豊富に持ちこんできていた。食糧は米と麦で、三毛別、六線沢の者たちにはほとんど口にできぬものであった。

今まで交流のほとんどなかった他村の男たちに接した三毛別、六線沢の者たちは、あらためて自分たちの生活の貧しさを知らされた。衣服をみても他村の者たちは、ほとんどが狐《きつね》や犬の毛皮で作ったチャンチャンコをきこみ、中には懐中時計を持っている者すらいる。印章にも使える角型の金の指輪を、節くれだった指にはめている者もいた。

三毛別、六線沢の者たちには、かれらの豊かさが不思議に思えた。かれらも自分たちと同じように開拓民で、農業で生計を立てていることに変りはない。かれらがあたえられた土地はおそらく自分たちの鍬《くわ》を入れている土地とは比較にならぬほど肥沃《ひよく》で、得られる作物は良質で収穫量も豊富なのだろう。家族がふんだんに食べても作物は十分に残り、それらを他の土地の者に売却し、それと引換えに村では得られぬような物を入手しているにちがいない。

無風に近い夜で、窓の蓆はひるがえることもなく、薪から発する熱で家の内部は温かかった。

荒い寝息が、所々で起りはじめた。区長も他の者の間に身を横たえて、眼を閉じた。

五

数人の者が、不意に半身を起した。

薪は燃えつき、家の内部は凍りつくように冷えきっていた。ランプの芯《しん》は短くなっていて、淡い灯があたりをぼんやり浮き上らせているだけだった。

遠くで声がきこえていた。人声とは思えなかった。その声がなにを意味するのか、男たちは知っていた。それは歓声をあげているようでもあり、泣き叫んでいるようにもきこえる。

次々に男たちがはね起き、無言で耳をかたむけた。声は、起伏を繰返しながらきこえてくる。

「池田の家がやられている」

ふるえをおびた声が、かれらの間からもれた。

池田の家は七百メートルほどへだたっているが、声はたしかにその方向からきこえていた。

声が、絶えた。

「本部へ行こう」

区長が、男たちの体を押しのけるように入口に近づくと、垂れ蓆《むしろ》の外に走り出た。

夜空に星が光っていたが、東の空に夜明けの気配がきざしはじめていた。

男たちは、区長につづいて雪道に出ると右方にみえる本部の農家の方へ急いだ。その家には分署長、署員をはじめ銃携行者が多く、その庇護《ひご》に入る方が安全に思えた。

渓流の岸に、多くの松明《たいまつ》が寄り集っていた。本部の者たちも対岸からきこえてくる叫び声に気づき、池田の家の方を見守っているのだ。

区長たちが走り寄ると男たちは振向き、すぐに対岸に眼を向けた。分署長も銃を手に無言で立っていた。

重苦しい沈黙が、かれらを支配していた。対岸からは、人声も物音もしない。

しばらくすると、分署長が寒気でこわばった口を動かし、銃携行者についてくるように命じ、氷橋《すがばし》の方向に歩き出した。松明をかざした十名ほどの男がつづき、分署長の後から渓流にかかった丸太の上を渡った。

夜空が青みをおび、松明の列は対岸の雪道をゆるい動きで何度も停止しながら樹林の中に没していった。

区長たちは、渓流のふちに立って対岸を見つめていた。

夜が明け、雪道や樹林がほの明るく浮び上ってきた。足もとで渓流の水の走る音がきこえるだけで、渓流の上流からは人声も銃声もきこえない。夜明け前に起った叫び声は、三日前の夜明景宅からきこえたものと同質で、羆《ひぐま》が池田宅にふみ入ったことは疑いの余地がなかった。

区長は、明景の家の内部からきこえてきた骨をかみくだく羆の歯の音を思い起した。池田の家でも同じような悲惨な光景がくりひろげられ、分署長たちは遠巻きにして骨のかみくだかれる音をきいているにちがいないと思った。

区長は、激しい寒気でこわばった顔をゆがめた。人間は、ただ羆の餌《えさ》として動きまわる存在にすぎず、営々と築いてきた六線沢は餌場と化している。そして、その餌場は下流方向にくだって三毛別に移動するかも知れなかった。

家を遠くから見守る分署長たちの緊迫した気配がつたわってくるようだった。やがて羆が家の外に躍り出し、それを目がけて発砲する銃声がきこえてくるようにも思えた。

対岸には深い静寂がひろがり、朝靄《あさもや》が傾斜の樹木の間をゆるやかに這《は》い下りていた。靄が雪道を流れはじめた頃、点々と黒いものがあらわれてきた。それは長い列になって道を足早やにくだってくる。銃身が、随所に鈍く光っていた。

氷橋の袂《たもと》に列の先端がたどりつき、丸太の上を一人ずつ渡ってくる。区長は、一人の傷ついた男が背負われて丸太の上を運ばれてくるのを見た。

橋を渡り終えた者たちの中には、凍りついた雪に膝《ひざ》を屈する者が多かった。かれらは、頭を垂れ、肩をあえがせていた。

区長たちは、かれらに近づいた。

「何人やられたのだ」

と、かれは問うたが、男たちは口をつぐんでいた。

分署長の顔には血の気が失われていたが、その細い眼に焦慮の光が湧き出ていて、丸太を渡る男に落着きのない視線を向けていた。

分署長が農家に向い、池田宅で一夜を過した男たちがその後にしたがった。区長が土間に身を入れると、分署長と男たちが炉をかこんで低い声で会話を交していた。区長は、かれらの口からとぎれがちにもれる言葉の意味を解《げ》しかねたが、やがて事情を知ってかれらを呆《あき》れたように見つめた。

その日の午前四時頃、池田宅に仮睡していた四十名の男たちは眼をさまし、食事の準備にとりかかった。戸外には濃い闇と深い静寂がひろがっていた。銃、日本刀、竹《たけ》槍《やり》、鎌《かま》などは、部屋の片隅に立てかけられていた。

三十分ほどして朝食をはじめようとした頃、突然戸外でなにかを蹴散《けち》らすような音が起った。静寂の中で、その音は大きくひびき、男たちは一瞬身をかたくした。

男たちは立ちあがり、体をぶつけ合って走りまわった。蹴倒されたランプが消え、家の中は闇になった。かれらは叫び声をあげ、或る者は梁《はり》に上り、他の者は窓から戸外にころがり出た。床下や便所にもぐりこむ者もいた。また数人の者たちは腰が萎《な》えて闇の中を這いまわった。

「クマだ」

という甲高い悲鳴がきこえたが、失神したらしくその声も絶えた。

男たちは身をふるわせ息をひそめた。静寂が、もどった。かれらは、羆の所在を探ろうとしたが、荒い呼吸音も足音もしない。羆は、戸外でひそかに内部をうかがっているように思えた。

長い時間がすぎ、夜明けの気配が家の内部に忍び入ってきた。

梁にしがみついていた者は、おびえきった眼で家の内部を見下した。こわされた家具や建具が倒れ、銃、日本刀、鎌などが散乱し、炉にかけられた大鍋《おおなべ》もくつがえって雑炊が炉の中にこぼれ出ている。積み重ねられた雑穀の袋の間隙《かんげき》に頭だけを突き入れてうずくまっている者もいれば、夜具をかぶっている者もいる。が、羆の大きな体は眼にできなかった。

「おーい、どうした」

遠くで、声がした。それは、池田宅に接近してきた分署長一行の声だった。

室内の明るみは、増した。梁から一人の男が恐る恐るすべりおりると、他の者もそれにつづいた。男たちが、身をふるわせながら物陰から這い出てきた。

かれらは、顔を見合わせ、窓から戸外をうかがった。

軒下に高く積まれた薪が雪の上に散乱していた。かれらは、突然起った物音が薪の崩れ落ちた音であることにようやく気づいた。羆が蹴散らしたのだろうと思ったが、その附近に羆の足跡はなかった。男たちは、戸外に出てあたりを見まわした。

やがて事情が、あきらかになった。

池田宅で一夜をすごしたかれらの唯一《ゆいいつ》の仕事は、炉の火を絶やさぬことであった。薪は軒下に積まれていたが、かれらは薪を運び入れるのにも二、三人で戸外に顔を突き出し、出入口から手をのばして近い所にある薪をとることを繰返していた。自然に積み上げられた薪の下部に大きな空洞ができた。そのため、薪が音を立てて崩れ落ちたのだ。

男たちの起した混乱は滑稽《こっけい》だったが、だれ一人として自嘲《じちょう》の笑いをもらす者はいなかった。かれらは、家を出ると分署長一行と合流し、渓流沿いの道をくだった。

重傷者が一人いたが、それもかれらの激しい狼狽《ろうばい》をしめすものであった。傷を負ったのは森という男で、かれは台所の下に這いこんだ。そこにはすでに大橋という男が入りこんでいたが、森の身につけた毛皮製のサシコがかれの顔に押しつけられた。大橋は、それを羆の体の一部と錯覚し、失神した。やがてかれは意識をとりもどし、腰にさした日本刀を抜くと狂ったように突き出した。それは、森の腿《もも》を貫き、足裏も傷つけた。

事情説明を受ける分署長の顔には、白けきった表情がうかんでいた。かれは、男たちの羆に対する恐怖が尋常なものではないことに気づき、怒声をあげる気にもなれないようだった。

分署長の顔にうかんでいる無気力な表情に区長は失望した。前々日の夕刻、馬にまたがり部下を従えて近づいてきた分署長の鋭い眼の光は、そこにはなかった。警察組織の中から派遣されてきた分署長と若い警察官が、自分たちと変らぬ人間であると知ったことは淋《さび》しかった。壁に立てかけられた艶《つや》をおびた二連銃も炉端におかれたサーベルも、帽章や肩章《けんしょう》と同じように警察官であることをしめすものであるにすぎないようにも感じられた。

区長は、家の内部のうつろな沈黙に堪えられず戸外に出た。

雪の上には、男たちが或《あ》る者は立ち、或る者はしゃがみ、或る者は腰を落して身を寄せ合っていた。かれらは、無言で対岸の方向に弱々しげな眼を向けていた。

区長のまわりに、三毛別、六線沢の者たちが集ってきた。かれらは、無言で他村の者たちをながめていた。

かれらはそれぞれの村に去ってゆくかも知れぬ、と区長は思った。かれらの間に三毛別、六線沢の者もまじっているが、身につけたものの貧しさで区別はすぐについた。他村の者たちからみれば、三毛別、六線沢は不毛の地であり、渓流沿いのわずかな平坦地《へいたんち》を開墾し耕作していることを奇異にも感じるだろう。そうした無価値に近い土地に侵入した羆を、死の危険を賭《と》してまで斃《たお》さねばならぬ必然性を見出《みいだ》せぬかも知れなかった。

三毛別、六線沢の者にとって羆を斃すことは土地を守ることであったが、他村の者たちが救援にやってきたのは、多分に狩猟の賑《にぎわ》いにでも参加するような意識からであったにちがいない。それだけに、対象である野生動物が自分たちの生命をおびやかすものであることを知った時、かれらのやってきた意味は失われたはずであった。

区長たちは、かれらが自分たちとは無縁の人間たちであることを感じた。

男たちの間には、なんの動きもみられなかった。わずかに腿を日本刀で突き刺された森が、戸板にのせられて下流方向の雪道をくだっていっただけであった。

午食がくばられ、かれらは黙々と口を動かしていた。分署長も家の中にとじこもったまま姿をみせなかった。

「また使いを出すか」

区長が、冷えた芋を口に運びながら言った。

かれをとりかこんでいた者たちが、無言でうなずいた。

もしも羆が山中に姿を没してしまったら、六線沢の者は絶えず羆が再び来襲することにおびえて日を過さねばならない。隣接した三毛別でも事情は同じで、結局は土地を放棄することにもなりかねない。かれらが耕地で生活の資を得、妻子とともに暮すためには、羆を確実に仕止めねばならなかった。

救援にきた二人の警察官と百数十名の他村の者たちにはそれを果す力はなく、六線沢、三毛別の者たちも同じように無力である。集団の力に絶望し、銀四郎という五十歳を越えた男に希望を託そうとすることは不自然かも知れないが、かれらには他に頼るべきものはなかった。

「おれが行ってこよう。拝み倒してもつれてくる」

中年の男が言うと、他の者たちも同行することを申し出た。

男は、他村の者たちをながめると、

「素人《しろうと》が何人集ってみても仕様がない。玄人《くろうと》しかやれぬことだ」

と、強い語気で言った。その顔には、他村の者に対する失望の色が露骨に浮び出ていた。

かれは、数人の男とともに区長の傍《そば》をはなれると雪道に出た。区長たちは、小走りに道を去って行く男たちの姿を見送った。

男たちが出発して間もなく、若い警察官が区長を呼びに来た。区長は、かれの後について、本部の置かれた農家に行った。

分署長は、救援隊の者から、数名の三毛別の者が下流方向に去っていったという報告を受け、その意味を区長にただした。

区長が、銀四郎を呼びに行くために前々夜につづいて男たちを派したことを口にすると、分署長の顔に憤《いきどお》りの色がうかんだ。指揮者であるかれの諒解《りょうかい》も得ず区長の意志で男たちを出発させたことは、隊の統一を乱す行為であると詰《なじ》った。

「本官たちがなぜこのような辺鄙《へんぴ》な所にきたのか、お前らにはわからぬのか。お前らの生命財産を守るためにやってきているというのに、勝手な行動をとるとは何事か」

分署長は、顔を紅潮させた。

区長は、土間に手をつき頭を垂れていた。

「鬼鹿の銀四郎という者は、本官もよく知っておる。留置場に三回ぶちこんだ札つきの男だ。そのような者を呼ぶために二度も使いを出すとは呆れ果てた者どもだ。銀四郎などの手を借りることはない。警察を愚弄《ぐろう》するのか」

分署長は、声を荒らげた。

区長は、弁明する言葉もなく口をつぐんでいた。

かれは、警察も救援隊の者も信頼できなくなっていると言いたかった。たとえ素行の悪い銀四郎ではあっても、羆《ひぐま》撃ち専門の猟師であるかれに頼る以外に方法はないとも言いたかった。が、分署長を指揮者として一つの組織が構成されている中で、自分のとった行為が規律をおかしたものであることはあきらかで叱責《しっせき》を受けるのも当然であった。かれは、ただ頭をさげつづけていた。

戸外に出たかれは、拗《す》ねたような気分になっていた。なんの力ももたぬ分署長の憤りが根拠のないものにも思えた。警察官も他村から来た者たちも、ただ食物を食べ散らし薪やランプの油を浪費しただけにすぎない。かれらは、前々夜この地にやってきてからなにをすることもなく時をすごした。わずかに老医が検視をしただけで、それも羆を仕とめることとはなんの関連もない。かれらは、初めの頃、自分たちを臆病《おくびょう》だと蔑《さげす》んでいたが、今ではむしろかれらの方が萎縮《いしゅく》した人間になっている。

「どうしました」

区長が三毛別の者たちの集っている所にもどってゆくと、男の一人が不安そうにたずねた。

「銀四郎を勝手に呼びにやったのは、規律違反だというのだ。しかし、ほかにどんな方法があるというのだ。薪が崩れ落ちた音で大騒ぎするような連中になにができる」

区長の言葉に、男たちは黙ってうなずいていた。

しばらくすると、農家の近くにいた男が、分署長が軍隊の出動を要請することに定《き》めたらしいという話を伝えてきた。事実、使者の二人の男が馬に乗って雪道を下流方向に去っていった。

区長は、苦笑した。使者を派したことは、無力であることを自覚した分署長の焦《あせ》りから生じたものにちがいなく、効果は期待できないと思った。

分署長は、第七師団麾《き》下《か》の歩兵第二十八聯《れん》隊《たい》の出動を乞《こ》うたのだろうが、聯隊のおかれている旭《あさ》川《ひかわ》から三毛別まではかなりの距離がある。出動した兵は、旭川から列車で留《る》萌《もい》に達し、そこから約四十キロの道を徒歩でこなければならない。使者が聯隊に達するのには、少くとも二日間を費すだろうし、それから出動するとすれば将兵が到着するのは、早くても四日後になる。

その間、羆が六線沢の村落内にとどまっているか否《いな》かは甚《はなは》だ疑わしい。無人の村落をはなれて他の地域に移動する可能性が高かった。

軍隊の武力は区長にも頼もしいものに感じられたが、出動要請が余りにも遅すぎた、とかれは思った。

かれは、蓆《むしろ》の上に仰《あお》向《む》きに寝ころがった。どうにでもなれと言った投げやりな気分であった。

いっそ土地を捨てて、どこか他の土地に移住でもしようか、と胸の中でつぶやいた。漁場は鰊漁《にしんりょう》でにぎわい、網元は鰊御殿を建て、漁師は多額の金を得ている。貧しい土地にしがみついているよりも、漁場にでも行って気ままな生活をした方がいいかも知れぬ、と思った。

陽光はまぶしく、かれは眼を閉じた。

「区長、銀オヤジがやって来たようだ」

傍の蓆に坐《すわ》っていた三毛別の男が、うわずった声で言った。

区長は眼を開き、半身を起した。

十人近い男が、下流方向の雪道を歩いてくる。それは、あきらかに鬼鹿村に出発していった男たちで、先頭に軍帽をかぶり、肩に長い銃をかけた長身の男の姿がみえた。

区長は、立ち上った。

周囲の者が雪道に走り出た。区長もかれらの後を追い、銀四郎たちの近づくのを待った。

区長たちの顔には、複雑な表情がうかび出ていた。銀四郎が乞いをいれてやってきてくれたことに安堵《あんど》を感じていたが、同時にかれに対する嫌悪《けんお》も重苦しく胸に湧《わ》いていた。懇願されてやってきた銀四郎は、傲慢《ごうまん》な態度をとるにちがいなく、それをどのように扱うべきか不安であった。

銀四郎が、男たちとともに近づいてきた。頰から顎《あご》にかけて白毛まじりの不精髭《ぶしょうひげ》が生え、軍帽の庇《ひさし》の下には白眼がちの細い眼が光っていた。

区長が、進み出た。

銀四郎は立ちどまると、

「災難だったな」

と言い、徐《おもむ》ろに軍帽をぬいだ。その仕種《しぐさ》には、死者に対する哀悼がにじみ出ていた。

区長は、銀四郎の思いがけぬ態度に一瞬放心したような眼をした。かれが知っている銀四郎は、酒に酔い、悪態をついて殴りかかる粗暴な男であった。追従《ついしょう》笑いをしてなだめてみても、逆にその言葉や態度がかれを嗜虐《しぎゃく》的にさせ、腰にさげた蛮刀をふりまわしたり、物を投げつけたりする。

時に銀四郎の荒々しい行為に堪えきれず立ち向う若者もいたが、五十歳を越えた男とは思えぬ力でたちまち叩《たた》き伏せられ、執拗《しつよう》な殴打《おうだ》と足蹴《あしげ》を受けて足腰の立たぬほど痛めつけられる。

そうした銀四郎を眼にしてきたかれには、軍帽を手に立つかれが別人のように思えた。

使者に立った三人の男が到着のおくれた理由について区長に説明するのを、銀四郎は無言できいていた。男たちは鬼鹿村まで峰越えしたことはあるが、それは冬期以外の季節の時で、深い積雪におおわれた山はすっかりその姿を変えていた。かれらは方向を見失って雪中を彷徨《ほうこう》し、昨夜おそく鬼鹿村にたどりついたのだという。

男たちは、その夜村長の家で一泊し、村長と同道で銀四郎の家に赴き区長の要請をつたえた。事情を諒承した銀四郎は、村長から渡された猟銃を手に山中を急いできたのだという。

「あなた以外に頼れる者はいないのだ」

区長は、眼に光るものをうかべながら来てくれたことに対して礼を述べた。

銀四郎はうなずくと軍帽をかぶり、区長たちにかこまれて農家の前の畠地《はたち》に入った。

「クマにやられた家はどちらの方角だ」

銀四郎が、足をとめると言った。

男たちは、渓流の対岸方向を指さした。銀四郎は、その方向を見つめた。

区長が、大鎌《おおがま》の柄で雪の上に略図をえがいた。氷橋《すがばし》のところから分れた支流沿いの道が雪面にひかれ、襲われた島川と明景の家の位置が×印でしめされた。

「最後にクマに襲われたのはいつだ」

銀四郎が、略図に眼を落しながら言った。

「三日前の夜だ」

区長は、思案するような眼をして答えた。

かれは、あらためて三日前の夜から羆の姿を見ていないことに気づいた。その間、見えぬ羆の幻影におびえて時間を過していたことが異様に思えた。

「もしかすると、クマは遠くへ去っていってしまっているかも知れない」

かれは、不安そうに静まり返った対岸の方向に眼を向けた。

男たちは、銀四郎の表情を見つめた。銀四郎も区長の視線の方向に眼を据えている。

「殺された者たちの体は、まだ家の中におかれたままだそうだな」

銀四郎の言葉に、区長たちはうなずいた。

「それなら、まだいる。クマがいくら大食だといっても五人の人間の体を四日間で食いつくしはしない。楽しみながら食うから、まだはなれてはいない」

かれは、淡々とした口調で言った。

区長たちは、こわばった表情で対岸に眼を向けた。羆が依然として六線沢にひそみ、人肉を食いちらしていることに恐怖を感じた。

「だれか、案内してくれ」

銀四郎が、区長に声をかけた。

「今、すぐか」

区長がたずねると、銀四郎は、

「そうだ」

と、答えた。

区長は、呆《あき》れたように銀四郎の顔を見つめた。銀四郎は、三毛別の三人の男とともに鬼鹿村から雪を踏んで山越えをしてきた。それは、優に半日がかりの旅で、同行してきた三人の男は疲れきってしまっているらしく雪の中に坐りこんでいる。休息もとらず六線沢にそのまま赴くというかれの言葉が理解できなかった。

「一服してからにしたらどうだ」

区長は、言った。

「そんな必要はない。おれはクマを追う時には夜明けから日没まで山の中を歩きつづける。クマの足は早いが、それに追いつくためにはクマより早く歩かねばならぬ」

銀四郎は、雪の中に坐りこんだ三人の男に眼を向けながら言った。

区長は銀四郎の呼吸が平静で、額に汗らしいものも湧いていないことに気づいた。

銀四郎には、鬼鹿村からの山越えなど少しの苦痛でもないらしい。

区長は、羆の歩きまわる村落に入りたいとさりげない口調で言う銀四郎に驚きを感じると同時に、六人の男女を殺害した羆のひそむ場所に恐れる風もなく足をふみ入れようとしている銀四郎が奇異な人間に思えた。

区長は、男たちを見まわしたが、かれらの中に案内を買って出る男がいるはずもなかった。

区長は、

「私が案内しよう」

と、答えた。

銀四郎はうなずくと、軽い足どりで氷橋の方に歩き出した。区長は、大鎌を手にその後につづいた。

雪の上に集っている他の村落の者たちの視線が、銀四郎と区長にそそがれた。

ふと区長が思いついたように足をとめると、振向いて三毛別の男を手招ぎした。数名の男が走り寄ってくると、区長は、銀四郎と二人で村落に入ることを分署長に告げるように言った。

かれの行為は、規律違反として再び分署長の怒りを買うにちがいなかったが、かれにはどうでもよかった。分署長が指揮をとる二百名の救援隊は、羆の幻影におびえきった人間の集団にすぎず、分署長にも積極的な処置をとる能力もない。そうした組織に規律があるはずもなく、無視しても支障はないと思った。

銀四郎は、早くも氷橋の傍にかけられた丸太の上を渡りはじめていて、区長はその後を追った。

対岸に立った銀四郎は、腰にさげた小さな革袋から弾丸をとり出すと、銃に装塡《そうてん》した。分署長の銃とは異った単発の銃で、よく磨かれていたが細々とした古銃であった。

「まず、初めに襲われた家に案内してくれ」

銀四郎は、銃を肩にかけると区長に言った。

区長はうなずくと歩き出したが、重苦しい空気が体をかたくしめつけてくるのを感じた。雪道には、その朝池田宅で積み上げられた薪の崩壊する音に驚いて逃げてきた男たちの乱れた足跡が残っていた。夜明け近い空気をやぶってきこえた男たちの悲鳴が、耳によみがえった。

銀四郎は、一定の歩度で渓流沿いの雪道をのぼってゆく。その速度は早く、区長はおくれがちであったが、銀四郎にはなれるのが恐しく必死に後を追った。

二軒の農家の前を過ぎ、その日の夜明けに騒動のあった池田宅が渓流の対岸にみえてきた。銀四郎は、眼を前方に向けながら進みつづけた。

両側から、山肌が迫ってきた。午後の陽光を浴びた村落は、雪にひっそりと埋れていた。

道の所々に、三日前の夜、村落の者が全員避難する途中に突き立てた松明《たいまつ》が燃えつきて雪面からのぞいていた。

区長は、その折の恐怖を思い起した。

かれは、銀四郎とともに渓流沿いの道を歩いていることが不思議に思えた。かれが案内役を買って出たのは、区長としての責任感によるもので、クマ撃ちの銀四郎に対して絶対的な信頼感を寄せていたからではなかった。銀四郎は、羆を百頭余も仕とめたと言われているが、六線沢にひそむと思われる羆は、警察、軍隊の出動もうながした類のない凶暴な野獣で、むろん銀四郎がそれまで斃《たお》してきた羆とは異る。その羆を、古びた銃をもつ銀四郎が的確に仕とめることができるとは思えなかった。

銀四郎も一個の老いた人間であり、羆に肉を切り裂かれ骨をかみくだかれる非力な存在にすぎない。かれが羆と対することのできるのは一挺《ちょう》の銃だが、それを必要以上に信頼することは危険だとも思った。

ただ区長のわずかな救いは、銀四郎の落着いた態度であった。かれは、銃を肩にかけたままで、周囲の気配をうかがうような様子もみせない。かれは、幅の広い肩をゆすりながら歩きつづけていた。

村落の中には、深い静寂が領していた。前方に雪におおわれた農家が次々にあらわれてきたが、銀四郎はわずかに視線を向けるだけでその前を通りすぎた。

明景の家が近づいてきた時、不意に銀四郎が肩から銃をおろした。区長は肩をすくめ、銀四郎の背後に身を寄せた。

銀四郎の歩度がゆるみ、眼が左右に向けられた。

雪の上に、大きな足跡が刻まれていた。かれは近づくと膝《ひざ》をつき、雪のくぼみを見つめ、つらなっている足跡を眼で追った。

「クマか？」

区長は、かすれた声で言った。

「あの家から出てきて道を横切っている」

銀四郎は、渓流の向う岸に立つ数馬という男の家に眼を向けながら言ったが、すぐに立ち上ると、

「三、四時間前のものだ」

と、つぶやくように言った。

かれは、銃を手にしたまま再び歩き出した。区長は、小走りにその後を追った。

明景の家の前を通り、さらに道をたどった。三日前の夜、区長たちが本部を設けた中川孫一宅が右方にみえ、ついで前方に島川の家が近づいた。

「最初にやられたのは、あの家だ」

区長が、ひきつれた声で島川の家を指さした。羆《ひぐま》が寝間に躍りこんだ折に裂かれた板壁の空間が、遠く路上からみえた。

銀四郎は、ためらう風もなく進み、島川の家の前で足をとめた。区長は、トド松におおわれている山の傾斜を指さして、山腹に羆が島川の妻の体を運び上げて食い散らしたことを低声《こごえ》で説明した。

銀四郎は、銃をかまえながら家の周囲を一巡し、雪に足跡のないのをたしかめると逡巡《しゅんじゅん》する風もなく入口の垂れ蓆から中に入った。かれは、炉のある部屋に上ると内部に視線を走らせ、さらに寝間に足をふみ入れた。

銀四郎の顔に、初めて表情らしいものが浮び出た。かれの眼は、棺からころげ出ている少年の遺体と、毛髪のからみついた島川の妻のわずかな肉塊に据えられたまま動かなかった。

区長は、体が痙攣《けいれん》しはじめるのを意識した。遺体は激しい寒気のため腐敗している気配はなく、肉の匂《にお》いがかすかにしているだけであった。

「子供の体は食われていないな」

銀四郎が、乱れたふとんを見廻しながらつぶやくように言った。そして、区長の顔をふりかえると、

「なぜ子供を食わぬのかわかるか」

と、きびしい表情でたずねた。

区長は、頭をふった。かれには、そのようなことを詮索《せんさく》する余裕はなかった。少年は咽喉《のど》を裂かれて絶命しているのを発見され、現在も体を曲げたままの姿勢で横たわっている。たしかに食いあさった様子もなくその点は不思議であったが、羆が飽食した結果なのかも知れぬと思った。

「最初に女を食った羆は、その味になじんで女ばかり食う。男は殺しても食ったりするようなことはしないのだ」

銀四郎は、片手で合掌しながら言った。

区長は、うなずくと、ふとんの上に横たわった少年の遺体を見つめた。

銀四郎は、家の外に出て路上にあがると周囲を見廻した。

「おれの勘だが、クマはここから下流方向にいる。一軒ずつ調べてみる」

かれは、歩き出すと、左岸の奥に立つ中川孫一の家に眼を向けた。そして、渓流に

かかった小さな橋を渡ると、家に近づいた。

区長は、すべての家を調べるという銀四郎の言葉に恐怖を感じたが、銀四郎からはなれて逃げ出す気にはなれなかった。かれの内部には、かすかではあったが為体《えたい》の知れぬ感覚がきざしはじめていた。

かれは、寒気の中で傍を歩く銀四郎の体温を強く感じていた。それは生温く、かれの体をつつみこんでくる。幼児が母体に安らぎを感じるように、かれはその温い空気の中に身を置いていたかった。

区長は、銀四郎の体に身を寄せながら中川の家のまわりを一巡した。そこには、羆が歩きまわった跡がはっきりと残されていた。

裏手の鶏舎が押しつぶされ、板片《いたぎれ》と鶏の羽が血とともに散っていた。さらに、その傍の草がこいの壁が大きく踏み破られ、羆が内部に入りこんだことをしめしていた。

銀四郎は、無言で壁の破れ目から内部に身を入れ、区長もその後につづいた。

区長は、内部の情景に息をのんだ。三日前、かれが男たちと一夜を過した家の内部は、別の家のように荒れ果てていた。土間におかれた二斗樽《だる》の鰊《にしん》を入れた漬物が土の上に散乱し、それを食いあさった跡がはっきりと残っていた。また、傍に積み上げられた俵の山が突きくずされ、雑穀が土間一面にひろがっていた。

さらに羆は家の内部で暴れまわったらしく、家財も建具も砕かれ、間仕切りの柱が折られていた。踏み荒された炉端には、黒々とした大きな糞《ふん》が排泄《はいせつ》されていた。

区長は、羆の旺盛《おうせい》な食欲と荒々しい動きに身をすくめた。

銀四郎は、無言で家の外に出ると、小橋を渡って雪道にもどった。

区長は、銀四郎の顔に血の気が失われていることに気づいた。おそらく銀四郎は、無残な死体や荒された家の内部を眼にして、羆に対する恐怖を感じているにちがいなかった。区長は、肌寒さを感じた。自分の体を包みこんでいた銀四郎の体温が、急に消えてゆくのを意識した。

しかし、銀四郎はたしかな足取りで明景の家に近づくと附近をうかがい、入口の垂れ蓆をまくった。家の内部には、肉の匂いがむせ返るようにみちていた。そこには斎田の妻と二人の男児の遺体がそのままの形で残されていたが、前日の検視の折とは異って斎田の妻の遺体は原形を失っていた。

海草のように頭髪のへばりついた頭部と片足の先端がころがっているだけで、その附近にわずかな骨と肉片が散らばっていた。

区長は、銀四郎の言う通り羆が女の体のみを食いあさっていることを知った。

「恐しいやつだ」

銀四郎の口から息を吐くような声がもれた。肉塊は妙に生々しい色をみせていて、羆が遺体を食い散らしてから余り時間はたっていないようにみえた。

家の外には、西日があふれはじめていた。

銀四郎は、戸外に出ると足を早めて道をくだり、渓流の両側に点在する八戸の家の内部に足をふみ入れた。驚いたことに、それらの家々には一軒残らず羆が闖入《ちんにゅう》した形跡が残り、しかも下流方向にむかうにつれて羆の足跡は新しくなっていた。

それらの家では、残された麦、雑穀、鰊漬、身欠鰊が悉《ことごと》く食いつくされ、すべての鶏舎が襲われていた。どの家でも草囲いの壁が打ち破られ、家具が破壊されていた。

各戸に共通していたのは、女物の衣類や枕《まくら》、寝具などが引き裂かれていることであった。羆は、それらに女の匂いをかぎとり、狂燥《きょうそう》状態におちいって家の内部を暴れまわるらしく、破れた腰巻や枕がくだけた家財の中に散乱していた。

女の肉体の味を知った羆は、家々を襲って女体を求めて歩きまわっていることはあきらかだった。

区長は、銀四郎の顔に恐怖の色が濃くうかんでいるのに気づいた。銀四郎は、羆がそれまで対してきた羆とは異質のものだということに気づくと同時に、身近に羆の気配をかぎとっているようだった。

かれは、弾丸を二発革袋からとり出すと、左掌《ひだりて》の指の間に一個ずつはさみこんだ。それは、射《う》ち損じた折に素早く装塡する予備の弾丸にちがいなかった。

足取りも慎重になり、眼は絶えず周囲にくばられていた。その動きに、区長は羆が近距離にひそんでいることを感じ、身のふるえるのを意識した。

前方の渓流の左岸に他の家よりも幾分大きい草葺《くさぶき》屋根の家がみえてきた。その家は村落の最も下流方向にある松浦東三朗の家で、三毛別の村落との境にある氷橋《すがばし》に最も近かった。

すでに夕色は濃く、雪の白さもぼんやりと浮き上っているだけだった。

不意に、銀四郎が足をとめた。区長は、冷いものが背筋に走るのを意識し、銀四郎の体に身を寄せた。

銀四郎は、松浦の家の方向に眼を据え、身じろぎもしない。区長も、その視線の方向を凝視した。

区長は、ふと静寂の中からかすかな音がきこえているのに気づいた。雪の下を流れる渓流の瀬音かと思ったが、それは妙に乾いた荒々しい音であった。

「なんだろう」

区長は、ふるえをおびた声でつぶやいた。

「わからぬ。しかし、クマがいる」

銀四郎が、身をかがめて言った。

区長の体が硬直し、かれは銀四郎の腰にしがみついた。

「おれたちには気づいていない。風は川下から川上に流れている。クマはおれたちの匂いをかぎとってはいない」

銀四郎の声は、低かった。

音は、断続しながらつづいている。それは、なにかをかみ砕いているような音にきこえた。

「出てきた」

銀四郎の声に、区長の腰は萎《な》え雪に膝をついた。口から叫び声がふき出そうになるのを抑えながら、薄暗い農家の方を凝視した。

ほの白い雪におおわれた渓流の左岸に建つ家の中から、黒ずんだものがあらわれた。それは、牛ほどの大きな体をした動物で、物にたわむれているように雪の上をころげ廻っている。

やがて、黒ずんだものは動きをとめると、左方向にゆっくりと移動し、トド松の密生した山の傾斜の闇《やみ》にとけこんでいった。

物音は絶え、再び静寂がもどった。

銀四郎の眼は、山の傾斜にむけられていた。あたりに夜の色が濃く落ちてきて、樹木の輪廓《りんかく》も定かではなく、傾斜のかなり上方でトド松の枝から雪が白々と落ちるのがみえた。

「クマがあの樹《き》の下まであがっている」

銀四郎はつぶやくと区長の腕をとって立ち上らせ、小走りに雪道を下りはじめた。

区長は、足をひきずるようにして銀四郎の後を追った。一刻も早く村落の中からぬけ出たかった。

松浦の家が近づき、渓流にかかった小さな橋がみえてきた。その橋の袂《たもと》まで来た時、銀四郎は歩みをとめた。

区長は、再び銀四郎の腰にしがみついた。

「ここで一寸《ちょっと》待っていろ」

銀四郎が、区長の手をふりもぎると橋を足早に渡ってゆく。

区長は、激しい恐怖におそわれた。かれは、そのまま雪道を氷橋まで走りたい衝動にかられたが、かれの足は硬直したように動かなかった。

対岸に渡った銀四郎が、農家の前で膝《ひざ》をつくのがみえた。そして、なにかをかかえると、再び橋を渡って道にもどってきた。

銀四郎は、手に石をかかえていた。そして、区長をうながすと、ゆるい弧をえがいている雪道をくだった。

氷橋が、近づいてきた。区長は、銀四郎の後からふらつく足で丸太を渡った。

対岸には、数個所で火が焚《た》かれていた。松明《たいまつ》を手にした男たちが、二人のまわりに集ってきた。

男たちは、暗くなっても戻ってこない二人の安否を気遣っていたことを口にした。六線沢と三毛別の男たちの中には、眼に涙をにじませている者もいた。

「帰ってきたか」

男たちの背後で声がし、連発銃を肩にかけた分署長が歩いてきた。かれは、銀四郎と区長の顔を見つめた。

銀四郎が軍帽に手をかけ、軽く会釈《えしゃく》した。

分署長はそれにこたえず、区長に顔を向けると、

「村落内の状況はどうだった」

と、たずねた。

区長は、答えようとしたが唇がひきつれて声が出なかった。

「かなりやられてましたよ、一軒残らず……。明景という家でしたね、四人殺されたのは……。そこに残されていた女の体も食われていて、まるでボロ切れみたいになっていた」

銀四郎が、分署長の顔から眼をそらしたまま言った。

男たちの視線が、松明に赤々と浮び上っている銀四郎の顔に注がれた。

「クマはいたか」

分署長が、銀四郎にたずねた。

「いました。二十分ほど前に、一番下《しも》にある家から出てきて山にのぼってゆきました。その家の前で、こんなものをかじっていた」

銀四郎は、雪の上においた石に眼を落した。

男たちは、身を寄せ合って石を見下した。それは、カボチャ大の石で鋭い歯でかみくだかれたらしく四分の一ほどが欠けていた。

「これは、湯タンポじゃねえか。一番下の家といえば松浦の家だが……」

六線沢の男たちの声に、長身の男が前に歩み出た。

男は石に手をふれると、女房の湯タンポだと言った。適当な大きさの石を焼いて布にくるみ、湯タンポ代りに寝具の中に入れる習慣がその地方の開拓民の間にひろまっていたが、冷え症の松浦の妻は、雪の訪れと同時に毎夜炉で石を焼き使用していたという。

「なぜこんな石をかみくだいていたのだ」

分署長の顔に、不審そうな表情がうかんだ。

「これが、女の使っていた物だからですよ。どこの家でも腰巻や女の枕がずたずたに切り裂かれていた。女の味を知ったクマは、女の匂《にお》いのする物を手当り次第にあさるのです」

銀四郎の言葉に、男たちはうなずいた。

「山にあがっていったというが、それきり山中に入ってしまったのか」

分署長が、銀四郎の表情をうかがった。

銀四郎は、薄笑いを浮べながら頭を大きくふると、

「クマの奴《やつ》は、まだ満足なんかしていない。食いたがっているよ、女の体を……。しかし、村落内に女はいないし、おそらく下にくだってきて餌《えさ》をあさるだろうな」

と、ゆっくりした口調で言った。

分署長は、口をつぐみ対岸の闇に眼を向けた。六線沢は袋小路のようになっていて羆《ひぐま》の行動範囲は限定されているが、本流を渡って村落を出れば羆は広大な地を自由に

歩きまわることができる。海岸線に達するまでの地域には、鬱蒼《うっそう》としげる樹林につつまれた無数の町村が散在している。羆の関心事は食欲のみで、それらの町村を襲って女の体を求めて食いあさり、排泄することをつづけるにちがいなかった。

羆は、村落のはずれにある松浦宅にふみこみ、山の傾斜をのぼっていった。やがて、山中から出て本流を渡り、広い原野に出ようとするだろう。六線沢に食欲をみたす物が皆無であることに苛立《いらだ》った羆は、婦人の常用する湯タンポ代りの石までかみくだいたが、それは羆が六線沢に見切りをつけて渓流を渡ろうとする時が迫っていることをしめしているように思えた。

分署長は、軍隊の出動を乞《こ》う使者を送ったことが悠長な処置であったことに気づいたようだった。かれは、身じろぎもせずかみくだかれた石を見つめていた。

区長は、冷ややかな眼で分署長の表情をうかがっていた。分署長の心の支えは、軍隊の到着であるのだろうが、時間的にその支援をうけることはきわめて困難になっている。かれは指揮者として羆が渓流を渡ることを阻止せねばならぬ立場にあるが、救援隊の男たちは頼りにならず銀四郎の力を借りる以外に方法は見出《みいだ》せないでいる。銀四郎を呼びに人を派した区長に叱声《しっせい》を浴びせた分署長が、逆に銀四郎を必要視していることが、区長には滑稽《こっけい》に思えた。

分署長は、顔をあげると、

「銀四郎、クマが渓流を渡るのはどのあたりだと思う」

と、気まずそうにたずねた。

「この附近だと思うがね。クマの奴は水に入るのが嫌いで、殊《こと》に冷えきった水はいやがる。氷橋《すがばし》は未完成だが、丸太もかかっているし、その上を渡ろうとするにちがいない」

銀四郎は、氷橋の方向に視線を走らせた。

橋の下には川幅二十メートルほどの渓流があるが、雪におおわれていて瀬音もきこえない。

「いつ頃、渡ってくると思う」

「それはわからぬが、今夜か、それとも明日か」

銀四郎は、思案するような眼をして答えた。

「今夜ということも考えられるのか」

「クマは夜歩きをする。渡ろうとして、そこらあたりまで来ているかも知れない」

銀四郎の言葉に、男たちの間で無言の動揺が起った。

分署長は、しばらく思案していたが、

「今夜は二交代で厳戒態勢をとる。銃を持った者たちは、タマをこめて川岸に待機する」

と、周囲の男たちを見まわして甲高い声で言った。

分署長と銀四郎をかこんでいた男たちの環《わ》がくずれ、かれらはあわただしく散った。氷橋の附近に火が新たに二個所焚かれ、川岸の焚火の数は増した。半数は仮眠をとるよう命じられたが、それらの者も戸外の焚火の周囲に集って薪や枯枝を加えて対岸に眼を向けていた。

夜空が明るみはじめ、山の中腹から満月に近い月がのぼった。寒々と冴《さ》えた光に、地表をおおう雪が青白く浮びあがった。

区長は、銀四郎とともに本部のおかれた農家の土間で休息をとった。銀四郎は、区長の用意した遅い夕食をとると土の上に敷かれた蓆《むしろ》に腰を据えたまま煙管《きせる》をくわえた。区長は、関節のはずれるような激しい疲労に体を横たえ、食事にもわずかに手をつけただけであった。

分署長と若い警察官は、時折り家の中に入ってきて炉端で白湯《さゆ》を飲んだりしていたが、落着かぬように立ち上ると垂れ蓆の外に出て行く。銀四郎も区長も、かれらに眼を向けることはしなかった。

区長がよろめくように立ち上ると、勝手元に行き丼《どんぶり》に焼酎《しょうちゅう》をみたして持ってきた。銀四郎の酒癖を恐れる気持もあったが、そんなことはどうでもよいとも思った。

かれが丼を出すと、銀四郎の顔に戸惑いの表情がうかんだ。

「やんなよ」

区長は、言った。

銀四郎は、丼を見つめていたが、黙ったまま受けとると口に近づけた。しかし、二度つづけて丼を傾けただけで区長の手に返した。

「もういいのかね」

区長は、半ば以上残った丼の内部に眼を落してたずねた。

銀四郎はうなずくと、背負い袋の中から出した犬の毛皮を蓆の上に敷き、さらにもう一枚の毛皮を体にかけて寝ころんだ。

区長は、背を向けて身を横たえた銀四郎の短く刈った白毛をながめた。午後に姿をあらわして以来、銀四郎はいつものかれとは異った人間のように思えた。顔に絶えずうかんでいた冷笑もみせず、眼に尖鋭《せんえい》な光もみられない。酒と無縁ではいられぬかれが、焼酎を飲み残して横たわったことは意外であった。

この男は本物のクマ撃ちなのだ、と区長は思った。銀四郎が酒を飲み争いを好むのは猟期以外のことで、山中で羆を追う間は酒を口にすることもないのだろう。かれは、神経が酒によって麻痺《まひ》し猟の障害になることをおそれているにちがいなかった。

かれは、妻に逃げられ、子供にも去られた寂寥《せきりょう》をいやすように、酒を飲むこともせず羆を追って山中を歩きまわるのだろう。

犬の毛皮をかぶって寝ている銀四郎が、平凡な一個の老いた男にみえた。酒を飲み残したかれは、山中で羆を追う折のかれになっている。それは、クマ撃ちとしてのかれの本来の姿なのだろう。

炉端では、火の番の男がしきりに薪を加えている。部屋の壁ぎわで、身を横たえている男たちの姿もみえた。

区長は、丼の焼酎を少しずつ口にふくんだ。体に熱いものがひろがって、四肢の感覚が麻痺してきた。

急に激しい睡気が、意識をかすませた。かれはよろけるように立ち上ると、大鎌《おおがま》を手に炉端に近寄った。そして、鎌をかかえるようにして身を横たえると、眼を閉じた。

かれの鼻孔から、荒い寝息が起った。

遠くで声がしていた。数人の男が、なにか叫んでいる。

声が次第に近づいてきた。オーイ、オーイと、甲高い叫び声が耳元でしている。体が荒々しくゆすられていた。かれは、眼をあけた。男の顔が、眼の前にあった。

かれは、はね起きた。クマだ、と男は言った。

かれは、大鎌をつかんだ。男たちにまじって、銀四郎が銃を手に垂れ蓆の外に出てゆく姿がみえた。

区長は、かれの後を追った。

戸外には、月光がひろがっていた。焚火が随所に炎をあげ、男たちが岸辺にむらがっている。区長は、その方向に走った。

分署長を中心に、男たちが対岸の山裾《やますそ》に眼を向けている。区長は、三毛別の者たちの中に入ると、

「クマがいるのか」

と、たずねた。

男の一人が、声をひそめて答えた。

「六線沢の見張りの者が、切株が一つ多いというのです」

見張りに立つ者は、夜間でも異常を発見できるように、対岸の地形、樹木、岩などの所在を頭に刻みつけておくように命じられていた。かれらは、それを昼間筆で紙に

描いて所持していたが、対岸の道路に近い山の傾斜に切株が六個あるのも書きとめられていた。それは、氷橋を架ける折に切り倒され使用された樹木の切株で、それが七個になっているのだという。

しかし、その附近は、傾いた月の光が達せず、こちら側が明るいので、ほとんど闇《やみ》に近くみえる。が、眼をこらしてみると、黒い切株らしいものがたしかにみえた。数えてみると、それは七個あるようであった。

岸辺に身をかがめている者は、すべて銃を持った男たちであった。後方を振返ってみると、かなりはなれた焚火《たきび》の周辺に身じろぎもせず立っている男たちの群がみえた。区長は、銀四郎の姿を眼でさぐり、近くの灌木《かんぼく》のかげに立っているのを見出した。銀四郎は、銃を肩にかけたまま対岸に眼を向けていた。

声を発する者はいなかった。かれらは銃を手に膝射の姿勢をとっていた。

「たしかに一つ多いのか」

分署長が、沈黙に堪えきれぬように言った。

「そうだと思うのですが……」

中年の男が答え、傍の若い男もうなずいたが、かれらの顔には自信のなさそうな表情がうかんでいた。

長い沈黙がつづいた。射手たちは、動かなかった。

月が雲間にかくれ、対岸の闇が濃くなった。かすかにみえていた切株らしい黒いものも識別できなくなった。

区長は、見張りの者が見誤ったにちがいないと思った。薪のくずれ落ちる音を羆の襲来と錯覚したように、かれらは正常な判断力を失っている。切株は七個あるようであったが、その一個は樹木の影か岩石かも知れなかった。

かれは、厳しい寒気に身をふるわせた。放尿したい欲求が、起った。

ふと、かれの耳にかすかな音がきこえた。それは、氷橋のあたりから起ったもので、枯れた枝の折れるような音であった。

区長は、他の男たちとともに四十メートルほどはなれた氷橋の方向に眼を向けた。

再び、音が起った。それはあきらかに橋上に敷き並べた小枝をふむ音で、材木のきしむ音もつづいてきこえた。かれは、黒いものが橋の端にふくれ上るのを見た。

分署長が、突然身を起すと、

「クマか、人か」

と、叫んだ。

静寂の中で、再び木のきしむ音がした。

分署長は再び誰何《すいか》したが、返事はない。

「射《う》て」

かれの口から、叫び声が起った。

分署長のかまえた二連銃から、鋭い発射音がふき出した。それにつづいて銃撃音が周囲にみちた。弾丸がつぎつぎに装塡《そうてん》され、発射される。

静寂は破れ、夜気は銃声にゆれ、硝煙がむせかえるように流れた。その中で分署長と若い警官は膝立ての姿勢で連射をつづけ、他の男の銃口からも発砲音が起った。が、男たちのもつ銃の半数は不発で、引金をむなしく引く音もまじっていた。

区長の鼓膜は、麻痺した。銃をもたぬことが腹立たしく思えた。分署長の所持するような銃を入手しておけばよかったと、かれは悔いた。

ほの白いものが、対岸を早い速度で走るのがみえた。それは、荒々しくまき上る雪煙で、またたく間に樹木の密生する山の傾斜に消えた。

銃声は、それを追うようにつづいたが、やがて絶えた。

後方に寄りかたまっていた男たちが、小走りに岸辺へ近づいてきた。かれらは、雪煙につつまれたものが驚くほどの速さで走り去ったことをうわずった声で口にし合った。他村からきた者たちは、幻影ではない羆《ひぐま》の姿を初めて眼にしたのだ。

かれらの興奮は、容易にはしずまらなかった。羆の体が予想以上に大きくみえたことを口にする者もいれば、その地響きで樹林の雪が落ちるのを眼にしたという者もいた。

しかし、ざわめきが鎮《しず》まると、かれらの顔にうつろな表情がひろがった。岸辺には約三十名の者が銃口を氷橋に向けて弾丸を連射し、殊に分署長と部下の警官の連発銃は、連続的に火をふいた。それはすさまじい斉射で、羆の渡橋をふせいだことはたしかだったが、それほどの銃撃を加えても羆を射ち斃《たお》すことができなかったことにかれらは失望していた。

また銃のうち半数近くが不発であったことも、かれらを沈鬱《ちんうつ》な気分にさせていた。不発銃は、ほとんど他の町村からやってきた者たちの携行してきた銃で、その中には常に試射を怠らなかった三毛別の男たちのものもまじっていた。

分署長は、不機嫌そうな表情で若い警察官が薬莢《やっきょう》をひろい集めるのをながめていたが、気を取り直したように、

「銃の手入れを十分にしておけ、対岸の監視も厳重におこなえ」

と、男たちに命じた。

男たちは、口数も少くそれぞれの部署に散っていった。

区長は、灌木のかたわらに立つ銀四郎に近づいた。銀四郎は、銃を肩にかけたまま夜空を見上げて放尿していた。区長は、かれと並んでズボンのボタンをはずした。

「射たなかったのかね」

区長は、尿が雪に細い穴をうがつのを見下しながら言った。

「おれには、闇の中の見えないクマを射つほどの腕はないよ。それに距離も遠いし……。おれは連射というやつがきらいでね」

銀四郎の鼻孔から、かすかな笑いの息がもれた。

「あれでも距離が遠すぎるのかね」

区長は、放尿を終えた銀四郎に顔を向けた。

「遠すぎるさ。もし仕損じたら次のタマをこめる前に襲いかかってきて一撃のもとに叩《たた》き殺される。だから、最初の一発で仕とめなければならない。それには、近くで射たないとな。おれは、普通五間（九メートル）ほどの距離で射つが、二間ぐらいで射ったこともある」

銀四郎は、淀《よど》みない口調で言うと区長が放尿を終るのを待ってから家の方に歩き出した。

「クマは、もうやってくることはないかね」

区長は、銀四郎と肩を並べて歩きながら雪煙につつまれて走り去った羆の姿を思いうかべた。

「そんなことはない、やってくるさ。あいつは、じれている。山の中でひと休みしてから必ず川下におりてくるよ」

銀四郎は素気《そっけ》ない口調で言うと、小さな欠伸《あくび》をもらした。

農家の炉端の周囲には、分署長を中心に十人近い主だったものが集っていた。区長の姿を眼にした分署長が、炉端へくるようにと言った。

分署長や男たちの顔には、興奮の色が濃く残っていた。

「夜明けとともに攻撃に移る」

分署長が、血走った眼を光らせた。

区長は、その処置は適切だと思った。

「一斉射撃に恐れをなしたクマは、山の中奥深く去ったんじゃないかな」

他村からきた男が、言った。

炉端に、沈黙がひろがった。分署長の顔には、思いまどうような表情がうかんだ。

「そんなことはない。山中にひそんで再び姿を現わすはずだ、と銀四郎おやじは言っている」

区長は、言った。

男たちは、土間をひそかにうかがった。すでに銀四郎は、犬の毛皮をかぶって寝ころがっていた。

「ともかく攻撃する。銃を十分に手入れし、タマを補充しろ」

分署長は、眼をいからせた。

男たちはうなずくと、家の外に出て行った。

炉の炎の上に鉄の容器が置かれ、内部に鉛の棒が入れられていた。やがて鉛がとけると、数人の銃携行者が、それをすくって補充の弾丸づくりをはじめた。

区長は、炉端で煖《だん》をとると壁際《かべぎわ》に行き、背をもたせかけて眼を閉じた。斉射の轟音《ごうおん》と硝煙の匂《にお》いが、よみがえってきた。羆が、それらのおびただしい銃弾から身をさけて去ったことが奇蹟《きせき》のように感じられた。あの羆に死はあり得ぬのかも知れぬ、とかれは思った。

傍の柱にかけられた時計が、歯車の空まわりするような音をたてて、時を打ちはじめた。四時であった。

かれは、眼を薄くあけた。

炉端で背を丸め銃弾づくりをしている男たちの、炎に赤々と映えた横顔がみえた。

かれは、再び眼を閉じると体を徐《おもむ》ろに横たえた。

六

分署長の判断で軍隊出動を乞《こ》うために前日の午後使者を出発させたが、すでに増毛警察署ではその日の夕刻、旭川の歩兵第二十八聯隊《れんたい》に出動要請をおこなっていた。警察官二名は騎馬で留萌に向い、留萌の無線電信所から旭川警察署に打電し、それが聯隊本部につたえられた。

聯隊では、二個小隊による救援隊を編成し、早朝の列車で留萌に向け出発することになっていた。

増毛警察署がそのような処置をとったのは、避難者の口からつたえられた事故の内容が驚くほどの速さで各町村にひろがり、住民の間に一種の恐慌《きょうこう》状態が起っていることを知ったからであった。山間部の谷あいに営まれている多くの村落や平坦地《へいたんち》に点在する町村の者たちは、先を争うように海岸線に急ぎ、さらに南北両方向に移動してゆく。

かれらの移動とともに混乱は拡大し、事故の内容も誇張されていった。羆は百貫を越す大物といわれていたが、それも次第にふくれ上って、二百貫以上の類のない巨体をもつ羆とつたえられるようになった。

板壁や草囲いの壁を羆が破って踏みこんだという話も、家屋を押し倒し破壊したという話に変った。現場に急行した警察官や救援隊の数も千名以上で、出動した軍隊は砲を装備した一大隊だという噂《うわさ》も流れた。

ただ死者の数だけは、誇張されて伝えられることはなかった。六名という数字は、人々を恐れさせるのに十分な死者の数で、流言の渦にもまれながらもそれはふくれ上る余地のない固定したものになっていた。わずかに、殺された妊婦の胎児を加えて死者七名という説も一部に流れたが、むしろそれは正確な数だと言ってよかった。

六線沢から下流方向の広大な地域は、無人の地に化していた。三毛別の村落のはずれにある氷橋《すがばし》のたもとに、約二百名の男たちが集っているのみであった。

夜が、明けはじめた。

寒気はきびしく、男たちは、焚火《たきび》のまわりに集って、火にくべた芋を棒切れでかき出しては朝食代りに食べた。トド松におおわれた山の傾斜も次第に明るみ、焚火の炎の色もうすれてきた。

仮眠をとった分署長が、銃を手に農家から出てきた。かれの制服には床に敷かれたトウキビの枯草が附着し、よごれたズボンには皺《しわ》が寄っていた。

分署長は、十数名の射手を招くと、羆の接近した氷橋にむかって歩き出した。区長も、銀四郎とともに分署長たちの後から丸太をふんで渓流を渡った。

対岸の雪面は、激しく乱れていた。かれらは、橋を渡った個所に身を寄せ、踏み荒された雪のくぼみを見つめた。

「血だ」

男の一人が、数メートル先の岩かげを指さした。

かれらは、その個所に近づいた。雪に赤いものが数滴しみつき、凍りついている。

「タマが当ったのだ」

若い男が、うわずった声をあげた。

区長は、血痕《けっこん》を見つめた。初めて羆に血を流させることができたのかと思うと、胸に熱いものがひろがった。浴びせかけた銃弾のうち、少くとも一発が羆を傷つけたことを知った。

分署長が、眼を輝かせて立ち上ると、

「クマは傷を負っている。遠くへは行けないはずだ、後を追ってとどめをさす」

と、はずんだ声で言うと、山裾《やますそ》の方向に視線を向けた。

雪面には大きな足跡が一直線に伸びていて、山の傾斜の中に消えていた。

男たちの明るい表情に気づいたらしく、対岸に集っている者の中から、

「どうした」

という声がきこえた。

ふりむいた男が、

「クマにタマが当っている。血が雪にしみついているんだ、傷を負わせたのだ」

と、叫ぶと、対岸の者たちの間に歓声があがった。

「さ、進撃の準備だ」

分署長が丸太の上を渡り、男たちもそれに従った。

朝の陽光がさしてきて、雪の表面が眩《まば》ゆく輝きはじめた。分署長は、主だった者を引き連れて、あわただしく農家に入った。そして、巻紙を取り出すと筆を走らせ、増毛警察署長宛《あて》の手紙を書き上げた。

「これから攻撃する。クマは必ず今日中に仕とめると報告しろ」

かれは、使いの男に手紙を渡すと、すぐに出発することを命じた。

男には若い署員の屈強な馬が提供され、頭に鉢巻をしめ馬にまたがった男が雪道を去っていった。

分署長は、ただちに編成にとりかかった。かれを中心に銃携行者十五名が先頭を進み、その後方に若い警察官を長とした射手その他の男で構成された二百名近い者が、第二陣として進むことになった。

「銀四郎おやじはどうします」

第一陣に加わる射手の一人が、分署長にたずねた。

銀四郎は、前日六線沢の村落内に入り家々にふみこんで内部を調査し、羆のかみ砕いた湯タンポ代りの石まで持ち帰った。そのような行為は、分署長をふくむ二百余名の男たちには到底なし得ぬことであった。

その時からかれらの間には、銀四郎に対する信頼感が生れていた。羆を斃すための集団行動は、かれを除外しては考えられなかった。

たしかに分署長は、警察官としての統率能力を備え、決断力もある。しかし、羆に対する知識は皆無にひとしく、羆を追いつめることができそうには思えない。当然、羆撃ち専門の銀四郎の意見を仰ぐべきだ、とかれらは思った。

若い男の言葉に、分署長は不快そうな表情をみせた。かれには、深夜一斉射撃を命じたことによって羆を傷つけたという自負がみられた。銀四郎の手をかりることなく、自らの指揮によって羆を仕とめたいと思っているようだった。

かれは、虚勢をはるように肩を動かした。が、男たちの眼に自分に対する不信の色がかげっているのに気づいたらしく、しばらく口をつぐんでいたが、

「第一陣に入れさせよう」

と、言った。

男たちの顔に、安堵《あんど》の色がうかんだ。かれらは、足早に散った。

昼食を携行する必要があるので、男たちはその準備を急いだ。三毛別から運ばれた芋が、焚火の灰の中にうめられ、塩が各班に配られた。

区長は、眩ゆい雪の上を見廻した。渓流に近い個所に焚かれた火の傍《そば》で、坐《すわ》って煖《だん》をとっている銀四郎の姿が眼にとまった。

かれは近寄ると、銀四郎の傍に腰をおろした。

「攻撃隊を第一陣と二陣にわけたが、あんたは第一陣に加わってもらうそうだ」

区長の言葉に、銀四郎は炎に眼を向けたまま黙っていたが、息をつくと、

「おれ一人にまかしてくれるといいんだが……。みんなが騒いではとれるものもとれない」

と、つぶやくように言った。

「多勢で行ってはだめなのか」

区長は、銀四郎の横顔を見つめた。

「そうだ。クマは、賢い動物だからな。危いと思えばすぐに身を引いて安全な場所に逃げる。こんなに多くの人間が行ったら姿をみせないさ」

銀四郎は、農家を中心にあわただしく動きまわっている男たちを不快そうにながめた。

「それでは、あんたは加わらぬと言うのか」

区長は、不安になった。

銀四郎は、口をつぐんでいたが、

「一応はついて行ってみる。それからのことだ」

と、顔にかすかな笑いをうかべた。

区長は安堵したが、同時に重苦しい気分にもなった。

銀四郎は百頭以上の羆《ひぐま》を仕とめた猟師といわれるだけに、羆の習性を知悉《ちしつ》している。村落に入っていった折も、羆のひそむ気配がないと知ると、逡巡《しゅんじゅん》することもなく大胆に家の中へも足をふみ入れたりした。かれには、鋭い嗅覚《きゅうかく》のようなものが備っているらしく、いたずらに羆の幻影におびえることもない。

銀四郎は常に一人で山中に入り、羆を追うことを繰返してきたという。羆は、銀四郎が老練な猟師であることに気づいてその追尾をふりきろうとするが、銀四郎も羆の意図を見抜いて行動し、結局は羆を射殺してきたのだ。

銀四郎は、分署長に指揮された男たちの集団行動は羆をあらぬ方向に逃げさせてしまうだけだと言う。それは、かれの長年の猟生活から得た経験によるもので、おそらくかれの言葉通りになるにちがいない、と思った。

区長には、分署長をはじめ男たちの存在がうとましいものにさえ思えてきた。銀四郎一人に委任すれば成功する確率が高いのに、むしろかれらがそれを妨害しているようにも感じられた。

「しかし、クマは傷を負っている。山中で虫の息になっているかも知れないではないか」

区長は、弱々しく反発した。

銀四郎が、かれの顔に眼を向けた。その顔には、あきらかに蔑《さげす》んだような笑いの表情がうかんでいた。

「冗談を言うもんじゃない。あの程度の血を流したぐらいじゃ、ほんのかすり傷さ。あんたも見ていたろう、闇《やみ》の中を山の方に走っていったあいつの姿を……。まるで風が走るような速さだった。急所以外に一発や二発くらったって、あいつにはちっともこたえねえんだ。そんな奴《やつ》じゃねえんだよ」

銀四郎の顔から笑いの表情が消えると、眼に苛立《いらだ》った光がうかんだ。

「わかったよ。あんたの言う通りだろう。おれは、と言うより三毛別の者も六線沢の者もあんた一人を頼りにしているんだ。拗《す》ねたりなんかしないでくれ。なんとしてでも、クマを仕とめてもらいたい。六人も殺されたのだ。このままじゃ、仏の霊も浮ばれない」

区長の眼は、うるんでいた。

銀四郎は、返事もせず焚火の炎を見つめていた。

一時間ほどした頃、携行食糧も整って、集合という声がかかった。蓆《むしろ》に坐っていた者たちは立ち上り、若い警察官の指示で、二つの集団に別《わ》けられた。

第一陣は、分署長以下十四名で、二百名近い第二陣の中には、若い警察官をはじめ二十名ほどの射手がまじっていた。

「クマは傷を負っている。足跡を追えば必ず仕とめることができる。それでは、これから出発する」

分署長が、張りのある声で言った。

第一陣の男たちが分署長の後から歩き出し、丸木橋に近づいた。そして、かれらが橋を渡り終ると、第二陣の男たちがそれにつづいた。

対岸に、二百名の男たちが集結した。かれらの大半は、鉢巻をしめ裾をからげていた。

分署長が、先頭になって歩き出した。羆の足跡は、正しく直線状に山裾にむかっている。

雪が急に深くなって、藁靴《わらぐつ》をはいた足が膝頭《ひざがしら》のあたりまで没した。分署長をはじめ男たちの動きは、緩慢だった。かれらは、一歩足をふみ出しては前方をうかがい、そのまま停止することもしばしばだった。

銀四郎は、無表情にかれらの動きに歩度をあわせて山林の方向に視線を向けていた。山裾の雪に印《しる》された大きな足跡に、かすかな血の色がみえた。分署長は背後に身を寄せてついてくる男たちに、無言でそれを指でさし示した。

かれらは、足跡にしたがって山の傾斜をのぼりはじめた。後方の氷橋の袂《たもと》に集っていた第二陣の男たちが、徐《おもむ》ろに動きはじめた。

分署長は、林立したトド松の樹幹の間をすかしみながら雪の中をのぼってゆく。足跡は山の傾斜を一直線に駈《か》け上っていたが、三十メートルほど上方で左方向にそれて下降しているのがみえた。

分署長は、双眼鏡に眼を押しつけて雪面の乱れをさぐっていたが、

「渓流の方向にむかっている」

と、かすれた声で言った。

かれらは、山腹にそって歩み、足跡にしたがって傾斜をくだった。足跡は、山裾を渓流と平行に上流方向へむかっている。前日の夕方、羆が湯タンポ代りの石をかみ砕いていた松浦宅の屋根が前方にみえ、足跡は、その裏手に伸びていた。

男たちの歩みが、さらに鈍くなった。分署長の顔は青白く、口中が渇くのかしきりに唇をなめている。そして、一人はなれて雪をふむ銀四郎の表情をうかがうようにふりかえっていた。

銀四郎は、物憂《ものう》げに足跡に眼を向けたりしながら男たちと少しはなれた所を歩いていた。

空は青く澄み、日は輝いていた。が、寒気はきびしく、足をふみ出す度に凍った雪のくずれる音が起った。

男たちは、一団となって松浦の家の後方を通り過ぎた。

左方に、また一戸、無人の農家が近づいた。足跡は、曲りくねった渓流と一定の間

隔をたもってつづいていた。

男たちは、しばしば足をとめて周囲に視線を走らせながら雪をかき分けて進んだ。

前々日の夜基地隊の者たちが泊りこんだ池田宅の裏手に近づいた時、分署長は、小休止を告げた。緊張と深い積雪の中の歩行で、男たちの疲労は激しく呼吸は荒かった。

氷橋《すがばし》を出発したのは午前十時であったが、すでに時刻は十二時近くになっていた。しかし、携帯食糧を口にする者はなく、雪を口にふくんで咽喉《のど》のかわきをいやしていた。

微風が上流方向から渡ってきて、樹林の枝葉につもる雪が所々で落ちる。男たちは、その度に山の傾斜を見上げていた。

分署長が歩き出し、男たちもその後にしたがった。

足跡は、次第に渓流に接近して、その岸を上流方向にむかっていた。すでに羆の傷口からの出血はとまっているらしく、赤いものを眼にすることはできなかった。

分署長が、池田宅の裏手を過ぎたあたりで足をとめ、双眼鏡に眼をあてた。足跡の進行方向に変化が起っていて、渓流の岸から右に転じて再び山の傾斜をのぼっている。トド松林の内部は薄暗く、足跡はその中に消えていた。

分署長は再び歩きはじめ、山裾《やますそ》にたどりつくと傾斜を見上げた。足跡がトド松の間を縫うようにして頂きの方向にむかっているのが見えた。

男たちの顔にうかんでいた恐怖の色が、一層濃さを増した。羆は山中に身をひそませている。樹木その他の遮蔽物《しゃへいぶつ》は多く、そのかげから不意に襲ってくるおそれが多分にあった。

「分署長さん」

銀四郎が、声をかけた。

分署長が、振返った。

「おれは、逆の方向から行ってみたいんだがね。逃げ路《みち》を断たないと、クマは尾根伝いに逃げて行ってしまう」

銀四郎は、淡々とした口調で言った。

分署長は、思案するような眼をして黙っていたが、

「いいだろう、退路を断つわけだな」

と、言った。

「私が銀四郎おやじの案内に立ちます。この山の地形はよく知っていますから……」

区長が、言った。

分署長が、無言でうなずいた。

銀四郎が渓流沿いに歩き出し、区長はその後を追った。

前方に、農家の屋根が見えてきた。それは吉川輝吉の家であった。

「区長、おれは案内なんかいらねえんだがね」

銀四郎が振向いたが、その顔に不機嫌そうな表情はみられなかった。

「足手まといにはならない。案内がいないよりいた方がいいだろう」

区長は、答えた。

「それはそうだが、また腰にしがみつかれてはたまらないからな」

銀四郎の顔に、揶揄《やゆ》するような笑いがうかんだ。

「二度とあんなことはしない。死ぬ覚悟はできている」

区長の言葉に、銀四郎は答えなかった。

吉川の家の裏手にたどりつくと、銀四郎は足をとめ、

「この上は、どんな地形になっている」

と、たずねた。

「二丁ほどのぼると、小高い丘陵が重り合って、それを越えると天塩《てしお》の国の山脈につづく尾根だ」

区長は、答えた。

「その小さな丘の裏側へまわりたいのだが……」

「それなら後四、五丁行った所に登り口がある。ひとまず逆に出た方がいい」

区長は、先に立って農家の前庭をぬけると、渓流に架った短い橋を渡った。

足早に歩きはじめた銀四郎は、足をとめると空気の流れをうかがっているようだった。が、再び歩き出すと、

「分署長たちにはクマはとれねえよ。風向きをみてみな。あいつらが足跡をたどって行けば、匂《にお》いでクマの奴は多勢の人間が近づいていることに気づく。それに、下の方から射《う》ってもし命中しても、クマは暴れながらころげ落ちてくる。押しつぶされたりして死ぬ者も出る」

と、つぶやくように言った。

道のゆるい曲り角で後方に眼を向けると、遠く男たちが山の傾斜に足をふみ入れるのがみえた。

明景の家の附近で、区長は渓流に架った橋を渡り銀四郎を山裾に導いた。傾斜は幾分ゆるやかで、山道らしい雪のくぼみが上方に蛇《だ》行《こう》しながら這《は》い上っている。

銀四郎が、慎重な足どりで傾斜をのぼりはじめた。眼は絶えず山林の内部に据えられ、時折り足をとめては上方をうかがう。区長は、大鎌《おおがま》をにぎりしめて、銀四郎の後

についていった。

沢があったが、むろん雪におおわれていて水の走る音もきこえなかった。

トド松がまばらになって、ニレやナラの樹木がまじりはじめた。振返ると、雪をいただいた村落の家の屋根がはるか下方に沈んでみえた。

傾斜をのぼりきると、頂きは平坦《へいたん》になっていて、右方に小高い丘陵がもり上っている。

銀四郎は、風向をさぐるらしく宙に視線を向けた。その顔は別人のようにこわばり、眼には鋭い光がうかんでいた。区長は、銀四郎が近くに羆《ひぐま》の気配をかぎとっているらしいことに気づいた。

銀四郎が、急に背をかがめ足音を殺しながら丘陵の方向に進みはじめた。区長は、動悸《どうき》がたかまるのを意識した。銀四郎は雪を静かにふんで歩み、区長はその後からついていった。

丘陵が、迫ってきた。銀四郎は、その傾斜に足をふみ入れたが、不意に動きをとめた。体は前方に向けられていたが、顔が右方にねじ曲げられている。

区長は、その視線の方向に眼を向けた。そこは、村落の渓流のふちからはじまる山の頂きにある平坦地で、トド松が雑木とともにまばらに立っている。かれの眼には、なにもとらえられなかった。ただ樹木と雪の白さがひろがっているだけであった。

銀四郎の体が、かすかに動いた。かれは丘陵の傾斜に踏み入れた足を徐《おもむ》ろにひくと、丘陵のふちに沿って歩きはじめた。風に吹きさらされた平坦地に、雪は少かった。銀四郎は、静かに雪をふみ、その足跡に区長は足をふみ入れた。

突然、区長は自分の体が凍りつくのを意識した。樹幹の間から、茶色いものがみえた。ナラの大木がそびえ立っていて、その傍に毛をかすかにふるわせているものがいる。距離は、三十メートルほどであった。

かれの体に、銀四郎の腰にしがみつきたい衝動が起った。大鎌が手からはなれ、雪の上に落ちた。足が硬直し、全身に痙攣《けいれん》が走った。かれは、雪の上に腰を落した。

かれのかすんだ眼に、銀四郎が一歩一歩進んでゆくのがとらえられた。羆は、逞《たくま》しい背を向けて立っている。山の傾斜をのぼってくる男たちの動きを見下しているようだった。

銀四郎の動きが、とまった。かれは、ニレの巨木に身を寄せ、銃をかまえた。

区長には、その立射の姿勢が美しいものにみえた。銀四郎は背筋を正しく伸ばし、両足をわずかにひらいて水平に銃身を突き出している。銃に傾けた顔の角度も、安定感にみちていた。

すさまじい発砲音が、凍《い》てついた空気をふるわせた。金属の板を一撃したような甲高い音響であった。

区長は、茶色い大きな岩石のようなものが二メートルほどはね上るのをみた。そして、それが重量感にあふれた音を立てて落下すると、周辺の樹木から雪塊が一斉に落ち、あたりは雪片で白く煙った。

区長は、眼前の光景がなにを意味するのかわからなかったが、やった、やったと胸の中で譫言《うわごと》のように叫んでいた。

しかし、羆の生命はまだ断たれていなかった。茶色い毛が逆立つと、ゆっくりと立ち上った。うるんだような眼が、こちらに向けられた。大きな体であった。血のあふれ出る口が半ば開かれ、異様な吠《ほ》え声がふき出た。

銀四郎の立射の姿勢はくずれず、早くも次の弾丸を装塡《そうてん》したらしく、再び銃声がとどろいた。羆の体がのけぞり、仰向《あおむ》けに倒れた。

銀四郎が第三弾を装塡し、銃口を羆に向けた。羆の体から長々と呻《うめ》き声が起っていたが、徐々に弱まって、やがて消えた。

物音は、絶えた。区長は、これほど深い静寂を味わったことはない、と思った。感覚も思考力も失われ、わずかに雪の中で坐《すわ》っているのを意識するだけだった。

銀四郎の姿勢がくずれ、銃をかまえながら羆に近づいてゆくのがみえた。

区長は立ち上ろうとしたが、筋肉に力が入らず前のめりに倒れた。眩暈《めまい》がおそってきて、かれは、雪に埋れたまま頭を垂れていた。そして、雪を口にふくんで大鎌にすがって立ち上った。

区長は、足をふらつかせながら銀四郎に近づいた。

羆を見下している銀四郎が、振返った。その顔を眼にしたかれは、再び意識がかすみかけるのを感じた。銀四郎の顔は、死者のそれのように血の気が失われていた。唇は白け、日焼けした顔の皮膚には皺《しわ》が不気味なほど深くきざまれていた。

区長は、羆に視線を据えた。剛毛におおわれた胸部と頭部から靄《もや》のようなものが立昇っている。それは、額と胸部から流れ出ている多量の血液から湧《わ》いている水蒸気であった。

オーイという声が、かすかにきこえた。区長は、その声を何度も耳にしていたことに気づいた。霞《かす》んだ意識の中で、それらは空気のように流れただけであった。

かれは、銀四郎の傍からはなれると、大鎌の柄に体を支えながら雪をふんで平坦地のはずれに立った。トド松の密生した山の傾斜の下方に、男たちの姿がみえた。

「オーイ、ドウシタ」

樹幹の間を縫って、また声がした。

区長は、放心した表情で傾斜を下りはじめた。足が無感覚になっていて、かれは何度も雪の中で倒れた。男たちが、足を早めてのぼってきた。

「銃声がしたが、どうした」

近寄った分署長が、甲高い声をかけてきた。

「仕とめた」

区長は、ひきつれた声で言った。

分署長の傍にいた男が、眼を大きく開くと叫び声をあげ、手にした銃をあげて体をはずませた。その叫び声と動作に後続の男たちは事情を察したらしく、歓声をあげて傾斜を駈《か》けのぼってきた。

区長は、眼を輝かした男たちにとりかこまれたが、その顔は無表情だった。そして、無言のまま再び傾斜を引返しはじめた。

平坦地にたどりついた男たちは、口をつぐみ、区長の後につづいた。

羆の傍で、銀四郎が立って煙管《きせる》をくわえ静かに煙をくゆらせていた。その顔には落着きがもどっていたが、血の色は失《う》せたままだった。

男たちは、羆を遠巻きにとりかこんだ。血は依然として流れ出ていて、羆は水蒸気につつまれている。

分署長が銃口を羆に向けて近づくと、

「死んでいるのか」

と、銀四郎に声をかけた。

「毛がしおれている。掌《てのひら》もひらいている」

銀四郎は、低い声で答えた。

区長の胸に、羆の死がようやく実感として強く意識された。急に激しい嗚咽《おえつ》が咽喉《のど》につき上げてきた。

かれは、雪の上に膝《ひざ》をついた。

七

使いの者が出され、羆を射殺したという報告が各方面につたえられた。

現場で羆の遺体が、分署長によって検分された。銀四郎の意見によると、その羆は雄で、年齢は七、八歳と推定された。体毛は茶色で所々に金毛がまじっていたが、そのような体毛におおわれた羆は最も荒々しい性格をもつという。胸から背に、袈裟掛《けさがけ》の大白斑《だいはくはん》があった。

初弾は心臓附近に命中、第二弾は、正しく額の中央に射こまれ頭蓋骨《ずがいこつ》を砕いて貫通していた。羆は、心臓部に一弾を受けた時、歯をくいしばって舌を咬《か》んだらしく、垂れた舌に歯形が深く刻まれ一部がちぎれかけていた。

羆の体から湧いていた水蒸気も、絶えた。

羆は体を解体して運び下すのが常識であったが、分署長が被害者の遺族その他に見せたいという希望をしめしたので、そのまま三毛別に運ぶことになった。時刻は、午後三時をすぎていた。

その日は、とりあえず羆の体を渓流沿いの道までおろすことになり、四肢に多くの縄が結びつけられた。

運搬役にえらばれたのは、漁場に出稼《でかせ》ぎに行って力仕事になれている約三十名の男たちであった。かれらは、鉢巻をしめ、掛声をあげて縄を引く。しかし、羆の体は重く、傾斜地のはずれまで運ぶのに一時間近くも要した。

音頭《おんど》取りの澄んだ声が薄暗くなりはじめたトド松林の中に流れ、羆は、雪を押し分けるようにして下ってゆく。羆は雪におおわれ、白い巨大な岩石のようになって路上に運び下された。

夕闇《ゆうやみ》が落ち、一同は、羆の体をその場に置いて氷橋《すがばし》の附近にもどった。

翌朝、かれらは、三毛別の村落に残されていた男山と名づけられている屈強な馬に橇《そり》をひかせて出発した。

男たちは、先頭を歩く銀四郎に、

「まさかクマが生きかえっていることはあるまいね」

と、不安そうに声をかけたりした。

「急所に二発タマをぶちこんだのだ。生き返るはずはない」

銀四郎が答えると、男たちの間ににぎやかな笑い声が起った。

羆は、運びおろされた路上に横たわっていた。風が出ていて、体をおおった雪は凍りついていた。

馬橇を近づけてゆくと、突然馬がいななき後退しはじめた。手綱を持った男が馬をしずめようとしたが、馬は羆の体におびえ、足をはねさせ頭をふって暴れまわる。数人がかりで手綱をひいたが、馬の力は強く、馬を使うことは断念しなければならなかった。

やむなく馬を解き放し、人力で三毛別に運ぶことになった。

かれらは、多くの丸太を使って羆を橇の上に押し上げ、太綱で橇にくくりつけると路上を曳《ひ》きはじめた。

その頃から、黒雲が空を走るようになり、雪も吹きつけてきた。

トド松林は波濤《はとう》の逆巻く海のようにゆれ、雪煙が舞い上る。吹雪は本格的になって、路上の雪も乱れ散った。

気象の激変に、男たちは眉《まゆ》をしかめていた。冬期の気候は不安定であったが、風の強さはかれらが今まで経験したこともない激しいものであった。

「クマ嵐《あらし》だ。クマを仕とめた後には強い風が吹き荒れるという」

男の一人がおびえたように言ったが、銀四郎は口をつぐんでいた。

かれらは、風に息を喘《あえ》がせながら橇をひきつづけた。道は下りになっているので、橇はなめらかに動いていった。

氷橋と平行に太い丸太が何本もわたされて、橇はその上を慎重に渡ったが、男の一人が強風にあおられて雪におおわれた渓流に落ちた。それを眼にした他の男たちは、丸太の上を這《は》って渡った。

橇は、吹雪の中を下流方向に進み、三毛別の村落に入っていった。雪は小止《とや》みになっていたが、風は依然として吹きつのっていた。

多くの者たちが、道の前方に寄り集っていた。嬰児《えいじ》を背負った女もいれば、白髪の老人もいる。かれらは、羆を射殺したという報を耳にして、三毛別にもどってきていたのだ。

橇が近づくと、かれらは路《みち》の左右に身を寄せ橇からはみ出した羆の体に視線を据えた。

橇の傍を歩いていた区長は、路の両側に立つ女や老人の中に六線沢から避難していった者が数多くまじっているのに気づいた。少年や幼児の姿もみえた。かれらは、無言で橇の後から身を寄せ合うようについてきた。

橇が多くの者たちにかこまれながら、分教場の校庭に曳き入れられた。校庭の雪が風に舞い上り、中央におかれた橇は白く煙った。

分教場の端にある教員の住む部屋から、分署長が苫前《とままえ》村村長と三名の警察官とともに出てきた。帝室林野管理局員、分教場教員もその後に従っていた。かれらは、強風に体をよろめかせながら橇に近寄ると、羆を凝視した。

校庭には、数百名の者たちが集っていた。かれらの中には避難先から引き返してきたばかりらしく手荷物を持ったり、家財を載せた馬の手綱をつかんでいる者も多かった。

分署長がかれらを見まわすと、救援隊の者に対するねぎらいの言葉を述べ、住民たちは安心して自分の家に帰るように言った。その声は風に吹き消され、傍に立つ区長の耳にも辛うじてききとれたにすぎなかった。

橇を遠巻きにかこむかれらの間には、深い沈黙がひろがっていた。かれらの衣服は音をたててはためき、髪は乱れていた。風圧に人々の環《わ》はゆらいでいたが、かれらは足を踏みしめて橇の上に盛り上った羆《ひぐま》の体に視線を注いでいた。

ふと、区長は、かれらの中から白髪をなびかせた老婆《ろうば》が進み出るのを眼にした。杖《つえ》を雪に突きさしながら覚束《おぼつか》ない足どりで橇に近づいてゆく。区長は、老婆の姿に異様な気配を感じ、視線を据えた。

老婆は橇に近づくと、杖をふり上げて羆の体をたたきはじめた。杖は細く、たたき方は弱々しかった。病身でもあるのか老婆の顔は青白く、頰に涙が流れていた。

区長の胸に、熱いものがつき上げてきた。人の環がくずれ、女、子供、老人たちが橇に近寄ってゆく。たちまち橇の周囲に、泣き声がみちた。嬰児を背にくくりつけた女が、泣きわめきながら拳《こぶし》で羆の体をたたく。藁靴《わらぐつ》をつけた足で蹴《け》る老人もいた。

分署長が警官に命じて、人々を橇の周辺から引きはなした。が、人々は棒をふりかざし拳をにぎりしめて羆に近づいてゆく。

警官がサーベルを抜き、甲高い声をあげた。

区長は、分署長や警官に腹立たしさを感じた。女や老人たちはほとんどが六線沢の者たちで、かれらは肉親、親族、隣人を失っている。その悲嘆を幾分でもいやしてやるために思う存分たたかせてやればよいのに、と思った。

橇の傍から引きはなされた者たちは、雪の上に膝をつくと肩を波打たせて泣きはじめた。それを取り巻く男たちの間からも、嗚咽が起った。

分署長は苫前村村長と話し合っていたが、区長に近づくと羆を分教場内に運びこむように言った。教室内で解体するという。

区長は諒承《りょうしょう》し、女や老人たちの周囲に立っている三毛別の者たちを手招ぎした。男たちがうるんだ眼をして集ってきて、橇を教室の入口にひいていった。

区長は、かれらに大量の雪を校庭から室内に投げこませ、丸太を使って羆の体を橇から教室の雪の上に引きずりあげさせた。

解体役は、銀四郎であった。かれは腰にはさんだ蛮刀をひきぬくと、刃先を羆の胸部に突き入れ、下腹部にかけて一直線に切り開いた。かれは、手なれた仕種《しぐさ》で筋肉を裂き、厚い脂肪をひらいて内臓を露出させた。そして、職業的な習性でまず胆《い》を慎重に切りとると、盛り上った雪の上にのせた。

ついで、かれは大きな胃に刃先を食いこませ、一気に切りひらいた。

周囲をとり巻く者たちは、息をひそめて刃先を見つめた。銀四郎は、手を胃の中に突き入れると、異様な物を無造作につかみ出して雪の上にひろげた。それは布切れで、指でひろげてみると葡萄《ぶどう》色をした脚絆《きゃはん》の片方であった。男たちの間から、悲痛な声が起った。島川の妻が常用していたものだと言う者もいた。

さらに、銀四郎の手は海藻《かいそう》のようなものをつかみ出した。大量の長い毛髪で、束状にかたまっている。島川の妻か斎田の妻の髪にちがいなかった。また、胃の底から砕かれた骨片にまじって割れた黄楊《つげ》の櫛《くし》も出てきた。

物差しと秤《はかり》が持ちこまれ、羆の体が計測された。頭の頂きから足先まで九尺（二・七メートル）、前肢蹠幅《せきふく》六寸六分（二十センチ）、後肢蹠長一尺（三十センチ）で、体重は百二貫（三八三キロ）であった。

解体は進み、毛皮がはがされ、頭蓋骨もはずされた。そして、胆嚢《たんのう》を除く内臓と骨が橇で分教場裏の沢にはこばれ、投げ捨てられた。

毛皮は、数人がかりで裏側に附着した脂肪その他を除去し、ひろげられて板に張りつけられた。山野を荒々しく行動した羆の毛皮には随所に毛擦れの跡があり、毛は針金のように剛《こわ》かった。長さ十二尺（三・六メートル）、幅九尺（二・七メートル）の巨大な毛皮であった。

教室の雪の上には、大量の肉が残された。

若い警察官は、解剖結果を詳細に記録し、銀四郎の放った初弾が心臓部を射ぬいて骨に食いこみ、第二弾が頭部を貫通していることを書きとめた。またかれは、右後趾《あとあし》の筋肉を銃弾がわずかに切り裂いていることを確認した。それは、前日の深夜に斉射された弾丸の一つが命中したものであった。

苫前村村長から、一同にねぎらいの言葉が述べられた。また分署長から被害者の遺体の供養《くよう》を懇《ねんご》ろにおこない、それぞれの家にもどって日常生活にもどるよう訓示があった。

区長から食糧、燃料が使い果されてしまった窮状が訴えられ、分署長は、附近一帯の町村からそれに相当する物資を供出させて至急送りとどけさせる旨《むね》の言葉があった。羆の処分については、区長に一切が委任された。

事件は、落着した。

警察官たちは、引き出された馬にまたがり、激しい風の中を馬をつらねて校庭から去っていった。

かれらの姿を見送った区長は、教室に引返した。羆の肉塊を前にして、銀四郎が蓆《むしろ》にあぐらをかき、煙草《たばこ》をすっていた。

銀四郎は、区長の顔を見上げると、

「大きな鍋《なべ》を用意してくれ」

と言って、眼前の肉塊を指さした。

男たちは、肉塊と銀四郎の顔を見つめた。羆の毛皮と胆嚢は商人に相応の金額で売ることができ、肉は食用に供される。胆嚢を乾燥した熊の胆《くまのい》は妙薬として同じ重さの金塊に等しい価格で取引される。肉も人体に益するものとされて珍重されていた。

蛋白源《たんぱくげん》に恵まれぬ貧しい食生活をしているかれらは、羆の肉を口にしたかったが、眼前の肉を食う気にはなれなかった。

六名の死者のうち二名の女性の体は胎児とともに羆の胃に送りこまれ、消化された。それは、羆の血肉の一部になり、わずかに毛髪が不消化のまま胃中に残されていただけだった。雪の上におかれている赤身の肉は、羆の肉であることに変りはないが、人肉でもあるのだ。

「この肉を食べるのかね」

男の一人が、恐るおそるたずねた。

「そうだ」

銀四郎が、即座に答えた。

男たちは顔をゆがめ、頭をふった。

「人を食ったクマだからいやだと言うのだな」

銀四郎の眼に、険しい光がうかんだ。

「その通りだ。島川と斎田のおっかあを食ったクマの肉が食えるかね」

他の男が、銀四郎に非難の眼を向けた。

銀四郎は、男の顔を見つめた。

「お前らは、仕来《しきた》りを知らないのか。人を食ったクマの肉は、出来るだけ多くの者で食ってやらなければならぬのだ。どこの村でも、村の者を食い殺したクマを仕とめると、必ず村人総出でその肉を食う。それが、仏への供養だ」

かれは、言った。

男たちは、口をつぐみ肉塊に眼を向けた。

仕来りか、と区長は胸の中でつぶやいた。かれも、銀四郎の口にしたような話をきいた記憶があった。それは、アイヌの宗教的な儀式の一つで、羆の肉を食わなければ被害者の埋葬もおこなえぬときいた。銀四郎は、どこの地でもおこなわれている習慣を口にしているにすぎないのだ。

三毛別は、三十二年前に開墾地として払い下げられ、区長一家も他の家族とともに入植した。その後、入植者は増し、耕地もひろげられ、人々は土にしっかりと根をおろして生活している。

しかし、三毛別は依然として入植者の営む村落と言われている。殊《こと》に江戸末期から明治初めにかけてひらかれた漁場に定住してきた海岸の町村の者たちは、三毛別を他《よ》処者《そもの》の集落と見ている傾向がある。

区長は、羆の肉を食おうと思った。銀四郎は仕来りだといったが、それに従うことが、村落の者にとって土により深く根をおろすための必要条件なのだと思った。

「土間に大きな鍋を用意しろ。それに酒も集めて持ってこい」

区長は、荒々しい口調で男たちに言った。

風の勢はおとろえ、雪は小降りになっていた。三毛別の女や老人たちはそれぞれの家にもどっていったが、六線沢の者たちは隣の教室の板の間に身を寄せ合っていた。

教室に接した土間では、石油カンで作られた速成の竈《かまど》が三個設けられ、その上に鍋が置かれた。数人の男が、肉塊を刻んで鍋に投げこみ、まず羆を仕とめた銀四郎が煮えた肉を頬張った。

次に区長が、箸《はし》を伸ばした。肉はかたく、うまくはなかった。

「仏の供養だ、出来るだけ多く食べろ」

区長は、鍋を見つめている者たちに声をかけた。

一人の男が、意を決したように肉片を口にすると、他の男たちもそれにつづいた。かれらは、顔をしかめてながめている女や老人たちに箸をにぎらせた。女たちは、ためらっていたが、やがて一人ずつ進み出ると煮えたぎった鍋の中に箸をさし入れた。

かれらの空気は、徐々にやわらいだ。ほとんど肉を口にする機会のないかれらは、肉の煮える匂《におい》に食欲を刺戟《しげき》されるらしく、新しい肉が投げこまれる度に競うように箸をのばした。中には肉片をかみ切って、背負った嬰児の口に入れてやる女もいた。

隣接の教室に坐《すわ》りつづけていた遺族たちも、仏の供養のためだとさとす男たちに腕をとられて、土間におりてきた。かれらは、沈鬱《ちんうつ》な表情でさし出された箸を手にし、小さな肉片をつまんで口に入れた。

区長は、かれらの姿を見つめていた。村落の者たちが湯気の立ちのぼる大鍋をかこんで肉を食べている情景が、かれには儀式のように思えた。

日が没し、六名の死者のささやかな通夜《つや》が営まれた。分教場にはランプがともり、焼酎《しょうちゅう》がはこびこまれた。また、女や子供には米飯が出され、子供たちは、飯を少しずつ箸でつまんでは口にはこんでいた。

男たちは、焼酎をくみ合った。かれらは、遺族たちとともに銀四郎に近づくと、手をついて感謝の言葉を口にした。銀四郎は、焼酎をみたした茶碗《ちゃわん》をかたむけながらかすかにうなずいていた。

男たちの間ににぎわいが増し、控え目な笑い声も起るようになった。

かれらは、時折り銀四郎の顔に探るような眼を向けていた。酔いが銀四郎を変化させはしないかと恐れはじめていた。

男たちは、銀四郎の茶碗に酒が少くなると、一升瓶《びん》を手に近づいた。銀四郎はそれを無言でうけていたが、いつの間にか茶碗を蓆の上に置いたまま酒を注がせるようになった。

男たちは、銀四郎の口がゆがみ、細い眼に刺すような光がうかびはじめているのに気づいた。

かれらの口数は、次第に少くなった。笑い声も絶え、身を寄せ合って酒をふくんでいた。

区長も銀四郎の表情をうかがっていたが、立ち上るとかれの傍に坐った。

「こうやって通夜ができるのもあんたのおかげだ。みな、感謝している。お礼をしたいが、どのようにしたらよいかおれたちにはわからない。とりあえずクマの胆はあんたが持っていって欲しい」

かれは、銀四郎の茶碗に焼酎を注ぎ入れながら言った。

「クマの胆？」

銀四郎が、かれの顔に眼を据えた。と同時に、茶碗の中の焼酎が区長の顔に浴びせかけられた。

区長は、眼に激しい痛みを感じ顔を掌《て》でおおった。

「冗談を言うんじゃねえ。クマの胆は、クマを仕とめた者がもらうのだ。持っていっていいとはなんだ。仕来りを知らぬのか」

銀四郎は、ころがった茶碗を拾うと荒々しく焼酎をみたした。

男たちは、顔色を変えて銀四郎の表情をうかがった。

区長は、銀四郎の粗暴な行為に不思議にも憤《いきどお》りを感じなかった。かれは、腰にたらした手拭《てぬぐい》をぬきとると、顔をぬぐった。

「おれが悪かった。なにか不満があるのか。欲しいものがあるなら言ってくれ」

区長は、痛む眼をかたく閉じたまま言った。

「きさまらは、ずるい。ぺこぺこ頭をさげたりおべっかをつかったりするな。それですませようとするきさまらのずるさがいやだ。おれは、大人しく鬼鹿へ帰るつもりでいたが、その気持は失《う》せた。村中の金をここへ出せ。もしもおれに礼を言いたいと言うなら、金を出せ」

銀四郎は、怒声を浴びせかけると口に近づけた茶碗をかみくだいた。

区長は眼を薄くあけた。

羆《ひぐま》を仕とめるまでの銀四郎は殊勝な態度をとっていたが、眼前のかれは、人に忌《い》み嫌われる酒乱の男にもどっている。腰に蛮刀をさし傍に銃を置くかれが、酔いに乱れた頭でどのようなことをするか予測もつかなかった。

区長は、羆を仕とめた折にふりむいた銀四郎の顔を思い起していた。その顔には血の気がなく、区長は初めて羆撃ちの名手といわれているかれが、死の恐怖とたたかいながら羆と対したことを知った。

その顔を眼にした区長は、かれの生活をのぞき見たように思った。銀四郎が羆に対して非力な存在であることを自覚しながら、銃一挺《ちょう》を頼りに羆を斃《たお》して生きてきたことに気づき、銀四郎に物悲しさも感じた。

銀四郎が酒を飲んで荒れるのは、胸に巣食う悲哀をいやすためにちがいない。殊に前日仕とめた羆は銀四郎にとって類のない恐しい存在であったはずで、一層酔いが深いのかも知れなかった。

金銭を銀四郎にさし出すのは、当然のことに思えた。警察官も百数十名の他町村の者たちも羆を斃す力はなく、羆は銀四郎個人によって仕とめられた。銀四郎は、自分の体が羆の爪《つめ》で引き裂かれ骨をくだかれて食いつくされる恐怖にさらされながら、照準を定め引金をひいたにちがいない。羆はかれの死を賭《と》した行為によって仕とめられたものであり、それに対して報酬をあたえ、感謝の意をしめすべきであった。

「わかった。金を集める」

区長は、深くうなずくと腰を上げた。そして、六線沢の男たちを手招きして隣接の教室に入っていった。そこには、女や老人たちがひっそりと身を寄せ合って坐っていた。

かれは、男たちに説いた。銀四郎は、殺害された六名の村人たちの報復を果したクマ撃ちであり、感謝の意を謝礼という形でしめす必要がある。もしも羆を斃すことができず逃走を許したら、六線沢の者たちは羆の再来におびえ土地を放棄しなければならなかっただろう。銀四郎の行為は、村落の者全員の生活を救ったのである。

「被害者の出た家をのぞく十二戸の家から、等分に金を出して銀四郎に贈るべきだ」

かれは、言った。

六線沢の男たちは、視線を蓆《むしろ》の上に落していた。かれらは、乏しい耕地で得た物で辛うじて生きている。現金収入はほとんどなく、漁師町に出稼ぎに行って得た金も、灯油その他の生活必需品の購入に費され、金銭的な余裕は皆無に近かった。

しかし、かれらは区長の言葉を素直にうけいれた。到底対抗できぬ羆を仕とめてくれた銀四郎に出来るかぎりの謝礼を支払うのが義務だ、と思った。

かれらは、低い声で話し合い、一戸で三円の金を出すことに定《き》めた。そして、或《あ》る者は自分の懐中から、他の者は妻のもとに行って肌身につけている金銭を奪いとるように持ってくると、区長の前にさし出した。

区長は、それに胴巻から出した四円を加えて隣室にもどった。

「四十円が集った。受取ってくれ」

区長が、金をさし出した。

銀四郎は、床に置かれた金に眼を据えると、

「足りない」

と、即座に言った。

区長はうなずくと、

「それではおれが十円足す。これで納得してくれ」

と言って、頭をさげた。

銀四郎は、無言のまま焼酎を飲んでいたが、やがて手をのばすと金をつかんで懐《ふところ》に押しこんだ。そして、銃を手に立ち上ると部屋の隅に近寄り、革袋に雪をつめてその中に羆の胆嚢《たんのう》を納めた。

かれは、銃を肩にかけ、焼酎の入った一升瓶をつかんで土間におりた。そして、板戸を荒々しくあけると外に出た。

区長は、窓の垂れ蓆のすき間から外をうかがった。ほの白く雪のひろがった校庭を、銀四郎が肩をいからせて歩いてゆく。おそらく銀四郎は、瓶の酒を飲みながら鬼鹿村まで夜の山中を歩いてゆくのだろう。

区長は、かれの体が闇《やみ》の中にとけこんでゆくのを身じろぎもせず見送っていた。

結

島川家と明景家に放置されていた五個の遺体は、翌朝、渓流の傍《そば》で茶毗《だび》に付された。骨壺《こつつぼ》を受け取った斎田石五郎、島川幹男、明景安太郎は、家を捨てて去った。

六線沢の村落は降雪に埋れ、家々からは炊煙が立ちのぼった。

翌春、雪が融《と》けはじめた頃、松村長助の妻が妊娠六カ月で流産した。羆の活動期に入ったことを知った村人たちは落着きを失っていたが、流産もその一つのあらわれであった。

その年の秋、作物の収穫を待っていたように二家族が村落をはなれていった。

翌年、雪の下からあらわれた地表に草が萌《も》えはじめた頃、近くの山中でアイヌの猟師が仔《こ》連《づ》れの羆を仕とめ、夏には氷橋《すがばし》附近の山林の中を一頭の羆が遠ざかるのを村人が目撃した。その直後、二家族が村を去り、秋の収穫期後には他の家族も家を捨て、東北地方や北海道各地に散った。

六線沢は、無人の地になった。

歳月が経過し、第二次世界大戦が起り、敗戦によって終結した。

その頃、山岡銀四郎についての風聞が三毛別方面にも流れてきた。

銀四郎は鬼鹿村に住みながら羆撃ちをつづけていたが、サイパン島守備隊の玉砕が報じられた頃、脳溢血《のういっけつ》で倒れ半身不随の身になった。弟夫婦にあずけられていた息子はかれのもとに戻って妻帯し、郵便局に勤めていた。

終戦直後、銀四郎は東方の峰の尾根に必ず羆が通過する時期なので、そこに自分を連れて行って欲しいと言った。息子は手のふるえも甚《はなは》しい老父を山中に放置することは危険なので拒んだが、銀四郎の執拗《しつよう》な求めに屈し、十日分の食糧と銃を携え、銀四郎に肩を貸して目的の尾根に着き、かれを置いて山をくだった。

十日後、かれが尾根に赴くと、二頭の羆が五十メートルほどへだたった個所に射殺されて横たわっていた。羆は、いずれも心臓部と頭部を射貫かれていた。

……銀四郎にとってそれが最後の猟になり、一カ月後に八十三歳で死亡したという。

終戦の翌々年、満州からの引揚者である六家族が道庁の指示で六線沢に入植した。かれらは大正年間にその地に村落が営まれていたことは知っていたが、廃村になった事情については知らされていなかった。

翌年の初夏に附近の山中で雄の羆がアイヌの猟師によって仕とめられ、六線沢の橋の近くに運びおろされた。その折り、猟師の口から三十余年前の出来事を耳にし、その後六線沢附近で百頭近くの羆が猟師たちによって仕とめられていることを知った。

入植者たちは、あわただしく家財をまとめて他の地に去ったが、一家族だけは六線沢にとどまった。それは、渓流の最も上流に入植した家族で、現在もその地で農耕に従事している。

木村盛武《もりたけ》氏（旭川営林局農林技官）の「獣害史最大の惨劇苫前羆《とままえひぐま》事件」（昭和三十九年）を参考資料に、同氏から懇《こん》篤《とく》な御教示をいただき、辻亀蔵、池田亀次郎両氏の回想をもとに脱稿した。厚く謝意を申し述べる。

著者

羆嵐《くまあらし》の吹いた沢

——解説にかえて

倉《くら》本《もと》　聰《そう》

吉村昭氏は北海道を実に緻密《ちみつ》に歩かれている。

北海道の美しさと凄《すご》みはその自然のもつ残酷さに常に裏打ちされていると思うのだが、たとえばこの作品に見る闇《やみ》の凄さはそれを肌身で味わったものにしか書くことの出来ない世界であろう。

運の悪いことに僕はこの作品を五十二年の夏の盛りに読んだ。そしてその秋北海道富良野《ふらの》の原生林の中に小屋を建て移った。その最初の晩工事の手ちがいで小屋に電気がまだ引けておらず、はからずも闇の一夜を過ごす破目となった。だらしない話だがあの初夜の恐怖は今でも胸に灼《や》きついている。ローソクの炎とそれがつくる影。何重にも迫って押してくる圧倒的ボリュームの闇の濃度。原生林が立てる様々な物音。それらの中で子供のように脅《おび》え、酒を飲んで結局朝まで眠れなかった。その深夜。恐怖に震えている小生の脳裏にどういうわけかつい先頃読んだこの『羆嵐』が浮かんでくるわけで、ああいやなものを読んでしまった、変なものを変な時読んでしまったと後悔の念しきりと起ったのである。

それから二年たって五十四年の末。

TBSからこの『羆嵐』をラジオドラマにして欲しいという話が何故《なぜ》か僕の元へ舞い込んだのであって、原作者もその著書を参考にされている北海道の羆《ひぐま》の権威、当時旭川《あさひかわ》営林局におられた木村盛武《もりたけ》氏の案内で現地苫前《とままえ》へ入ることとなった。

北海道天塩《てしお》国苫前郡苫前村三毛別《さんけべつ》。と原作にはある。

その三毛別は、現在三溪と名が変っている。六線沢はその奥にある。

北海道の田舎の地域は、道を数字で表わすことが多い。集落の中心を零号と起点にし、そこから奥へ一線二線と入って行く。その道の先に沢が入っていれば二線の沢とか三線の沢とか呼ぶ。

大正四年十二月九日。日本獣害史上最大の惨事といわれるこの羆事件は、まさにこの苫前三毛別、六線沢の谷ふところに点々と散在した集落で発生した。

当時七歳でこの事件に遭遇し、それを契機に羆撃ちになった三毛別大川春義翁《おう》は、当時氷橋《すがばし》のあった現撃ち止め橋のたもとに住んでおられたという。翁はその後百二頭の羆をこの六線沢界隈《かいわい》で撃ち、現在は銃を捨て三溪におられる。

翁の話は吶々《とつとつ》とし、しかしその分迫力があった。

翁はあの事件の犠牲者一人につき、十頭の羆に復讐《ふくしゅう》すると誓いをたて、そうして羆撃ちになられたのだという。翁は殆《ほと》んど一人で山へ入った。早朝家を発《た》ち、必らずその日に家に帰った。山へ泊ればもっと獲《と》れるが、家族の気持を考えればその日のうちに帰らねばとされた。

「おじいちゃんが一人で山へ入るでしょう。夕方まで全然連絡なしよ。だけど昼頃ちゃんと判《わか》るんだ。おじいちゃんが羆を仕止めたかどうかね。何故《なぜ》っておじいちゃんが羆仕止めた時はうちの庭に烏《からす》がいっぱい集ってくるの。おじいちゃんまだ山の奥でもね。烏が先に来て待ってるんですから。仕止めた羆が山下りてくるのを。それと――」

翁の家族が僕に語った。

「風が吹くんですよね、いわゆる羆嵐が。羆嵐って本当にあるンですからァ」

大川翁に案内されて撃ち止め橋を渡り六線沢へ入ると程なく人家が途切れてしまった。あの事件以来何回となく入植者が入りそして又去り、又入り又去り、今はもう一軒か二軒しか見られない。

畠地《はたち》もやがて切れ道が細くなり、それは両側からせり出した山間の、うっそうたる原始林の林道となった。

ジープの窓にバチバチと木が当る。

昨日降った新雪が道の上に残り、僕はジープを四輪駆動にした。

「羆って奴《やつ》ァ凄い力だね」

運転する僕の脇《わき》で大川翁が云《い》った。

「まァ犬位の羆の仔《こ》だったら、素手で闘ってとてもかなわんね。一度仔羆をつかもうとしてかっちゃかれてえらい目に遭ったことがある」

グローブのような手で顔をこすり、大川翁が一寸《ちょっと》笑った。

林道が益々《ますます》暗くなって行く。周囲の森がそれだけ深い。刻《とき》は真昼である。冬の真昼である。木々の葉が落ち森が明るくなる十二月初頭の正午前である。六線沢の道へ入ってからもう三十分も走ったであろうか。

道が突然上りになり、遂《つい》にジープも進まなくなった。

「この先だ」

僕らはジープを下り雪の上へ立った。

獣の足跡が点々とある。

「この先にあったゝだ。一番奥の家が」

雪を踏みつけ藪《やぶ》の中へ入ると森の中に一寸ひらけたところがあった。森の中だから雪が少ない。

「ああ、これだ」

大川翁が雪を払った。一抱えもあるような木の切株が現われた。

「その当時の人が切った樹《き》の株だ」

たしかに人のいた名残りがあった。

下水道を切った跡なのであろうか。家の線かと思われる位置に直角に溝が掘られていた。

森がしんかんと静まりかえっている。

かすかに下から沢音がきこえる。

ジープで三十分、この山奥で、一家は羆に襲われたのであろうか。

次の家まで深夜の道を、彼らはどのように知らせたのであろうか。

当時は恐らく道という程でもない、獣道に類した藪の中の闇を、どの闇にひそむか判らぬものの影に全身全霊脅え震えながら、どんな気持で彼らは走ったか。

森が急に鳴り、雪がサッと舞った。

手帖《てちょう》をとり出し、当時の地図と照合しようとした。その時。手帖の日付を見て僕はゾッとした。

昭和五十四年十二月九日。

将《まさ》に事件のあった同じ日、祥月命日である。

木村盛武氏が憑《つ》かれたように、雪をかき住居の跡を図面にしている。

ふと目を移すと大川翁がいなかった。あわてて藪をこぎ林道へ出ると翁がジープにチョコンと坐《すわ》っていた。僕も隣にのり、煙草《たばこ》を咥《くわ》えた。

「大川さんは――」

翁に訊《たず》ねた。

「こんなとこ一人で羆撃ちに歩いて、よく恐《こわ》くないもンですね」

「銃を持ってれば恐くないもンだ」

大川翁がポツンと答えた。

「ただね、銃を持ちつけちまうと、こうやって銃なしで山に入ったとき――」

「――」

「わしもう銃を捨てちまったンでね」

「幻の巨グマ『北海太郎』
体重ゆうに500キロ。後足の裏27センチ
追跡8年―ついに射止めた
――北海太郎をついに射止める金星を挙げたのは留萌《るもい》管内苫前町三渓、農業辻《つじ》優一さん（三〇）と同、大川高義さん（四四）。大川さんの父春義さん（七〇）はわが国の獣害史上最大の惨劇、大正四年の苫前羆事件当時七歳で、以後クマ撃ちを志し、これまで百二頭を射止めた実蹟《じっせき》を持つ全道一のクマ撃ちの名人。」
昭和55年5月9日、北海道新聞記事よりの要約である。

（昭和五十七年十月）

この作品は昭和五十二年五月新潮社より刊行された。

吉村昭著

漂　流

水もわかず、生活の手段とてない絶海の火山島に漂着後十二年、ついに生還した海の男がいた。その壮絶な生きざまを描いた長編小説。

吉村昭著

空白の戦記

闇に葬られた軍艦事故の真相、沖縄決戦の秘話……。正史にのらない戦争記録を発掘し、戦争の陰に生きた人々のドラマを追求する。

吉村昭著

海の史劇

《日本海海戦》の劇的な全貌。七カ月に及ぶ大回航の苦心と、迎え撃つ日本側の態度、海戦の詳細などを克明に描いた空前の記録文学。

吉村昭著

大本営が震えた日

開戦を指令した極秘命令書の敵中紛失、南下輸送船団の隠密作戦。太平洋戦争開戦前夜に大本営を震撼させた恐るべき事件の全容――。

吉村昭著

背中の勲章

太平洋上に張られた哨戒線で捕虜となり、アメリカ本土で転々と抑留生活を送った海の兵士の知られざる生。小説太平洋戦争裏面史。

吉村昭著

ポーツマスの旗

近代日本の分水嶺となった日露戦争とポーツマス講和会議。名利を求めず講和に生命を燃焼させた全権・小村寿太郎の姿に光をあてる。

吉村昭著

遠い日の戦争

米兵捕虜を処刑した一中尉の、戦後の暗く怯えに満ちた逃亡の日々――。戦争犯罪とは何かを問い、敗戦日本の歪みを抉る力作長編。

吉村昭著

光る壁画

胃潰瘍や早期癌の発見に威力を発揮する胃カメラ――戦後まもない日本で世界に先駆け、その研究、開発にかけた男たちの情熱。

吉村昭著

破船

嵐の夜、浜で火を焚いて沖行く船をおびき寄せ、坐礁した船から積荷を奪う――サバイバルのための苛酷な風習が招いた海辺の悲劇！

吉村昭著

破獄

読売文学賞受賞

犯罪史上未曽有の四度の脱獄を敢行した無期刑囚佐久間清太郎。その超人的な手口と、あくなき執念を追跡した著者渾身の力作長編。

吉村昭著

雪の花

江戸末期、天然痘の大流行をおさえるべく、異国から伝わったばかりの種痘を広めようと苦闘した福井の町医・笠原良策の感動の生涯。

吉村昭著

脱出

昭和20年夏、敗戦へと雪崩れおちる日本の、辺境ともいうべき地に生きる人々の生き様を通して、〈昭和〉の転換点を見つめた作品集。

吉村昭著
天狗争乱
大佛次郎賞受賞
幕末日本を震撼させた「天狗党の乱」。水戸尊攘派の挙兵から中山道中の行軍、そして越前での非情な末路までを克明に描いた雄編。

吉村昭著
プリズンの満月
東京裁判がもたらした異様な空間……巣鴨プリズン。そこに生きた戦犯と刑務官たちの懊悩。綿密な取材が光る吉村文学の新境地。

吉村昭著
わたしの流儀
作家冥利に尽きる貴重な体験、日常の小さな発見、ユーモアに富んだ日々の暮し、そしてあの小説の執筆秘話を綴る芳醇な随筆集。

吉村昭著
アメリカ彦蔵
破船漂流のはてに渡米、帰国後日米外交の先駆となり、日本初の新聞を創刊した男――アメリカ彦蔵の生涯と激動の幕末期を描く。

吉村昭著
生麦事件（上・下）
薩摩の大名行列に乱入した英国人が斬殺された――攘夷の潮流を変えた生麦事件を軸に激動の五年を圧倒的なダイナミズムで活写する。

吉村昭著
島抜け
種子島に流された大坂の講釈師瑞龍は、流人仲間と脱島を決行。漂流の末、流れついた先は何と中国だった……。表題作ほか二編収録。

吉村昭著
天に遊ぶ
日常生活の劇的な一瞬を切り取ることで、言葉には出来ない微妙な人間心理を浮き彫りにしてゆく、まさに名人芸の掌編小説21編。

吉村昭著
敵（かたきうち）討
江戸時代に美風として賞賛された敵討は、明治に入り一転して殺人罪に……時代の流れに抗しながら意志を貫く人びとの心情を描く。

吉村昭著
大黒屋光太夫（上・下）
鎖国日本からロシア北辺の地に漂着し、帝都ペテルブルグまで漂泊した光太夫の不屈の生涯。新史料も駆使した漂流記小説の金字塔。

吉村昭著
わたしの普段着
人と触れあい、旅に遊び、平穏な日々の愉しみを衒いなく綴る——。静かなる気骨の人、吉村昭の穏やかな声が聞こえるエッセイ集。

吉村昭著
彰義隊
皇族でありながら朝敵となった上野寛永寺山主の輪王寺宮能久親王。その数奇なる人生を通して江戸時代の終焉を描く畢生の歴史文学。

吉村昭著
羆（ひぐま）
愛する若妻を殺した羆を追って雪山深く分けいる中年猟師の執念と矜持——表題作のほか「蘭鋳」「軍鶏」「鳩」等、動物小説5編。

新田次郎著
縦走路
冬の八ヶ岳を舞台に、四人の登山家の男女をめぐる恋愛感情のもつれと、自然と対峙する人間の緊迫したドラマを描く山岳長編小説。

新田次郎著
強力伝・孤島
直木賞受賞
直木賞受賞の処女作「強力伝」ほか、「八甲田山」「凍傷」「おとし穴」「山犬物語」など、山岳小説に新風を開いた著者の初期の代表作。

新田次郎著
孤高の人（上・下）
ヒマラヤ征服の夢を秘め、日本アルプスの山々をひとり疾風の如く踏破した〝単独行の加藤文太郎〟の劇的な生涯。山岳小説の傑作。

新田次郎著
蒼氷・神々の岩壁
富士山頂の苛烈な自然を背景に、若い気象観測所員達の友情と死を描く「蒼氷」。谷川岳衝立岩に挑む男達を描く「神々の岩壁」など。

新田次郎著
栄光の岩壁（上・下）
凍傷で両足先の大半を失いながら、次々に岩壁に挑戦し、遂に日本人として初めてマッターホルン北壁を征服した竹井岳彦を描く長編。

新田次郎著
八甲田山死の彷徨
全行程を踏破した弘前三十一聯隊と、一九九名の死者を出した青森五聯隊――日露戦争前夜、厳寒の八甲田山中での自然と人間の闘い。

帚木蓬生著

白い夏の墓標

アメリカ留学中の細菌学者の死の謎は真夏のパリから残雪のピレネーへ、そして二十数年前の仙台へ遡る……抒情と戦慄のサスペンス。

帚木蓬生著

逃亡（上・下）

柴田錬三郎賞受賞

戦争中は憲兵として国に尽くし、敗戦後は戦犯として国に追われる。彼の戦争は終わっていなかった——。「国家と個人」を問う意欲作。

帚木蓬生著

三たびの海峡

吉川英治文学新人賞受賞

三たびに亙って〝海峡〟を越えた男の生涯と、日韓近代史の深部に埋もれていた悲劇を誠実に重ねて描く。山本賞作家の長編小説。

帚木蓬生著

閉鎖病棟

山本周五郎賞受賞

精神科病棟で発生した殺人事件。隠されたその動機とは。優しさに溢れた感動の結末——。現役精神科医が描く、病院内部の人間模様。

帚木蓬生著

水神（上・下）

新田次郎文学賞受賞

筑後川に堰を作り稲田を潤したい。水涸れ村の五庄屋は、その大事業に命を懸けた。故郷の大地に捧げられた、熱涙溢れる時代長篇。

帚木蓬生著

守教（上・下）

吉川英治文学賞・中山義秀文学賞受賞

人間には命より大切なものがあるとです——。農民たちの視線で、崇高な史実を描き切る。信仰とは、救いとは。涙こみあげる歴史巨編。

羆《くま》　嵐《あらし》

新潮文庫　よ－5－13

昭和五十七年十一月二十五日　発行
平成二十五年十一月十五日　四十六刷改版
令和　七　年九月二十日　六　十　刷

著者　吉《よし》村《むら》昭《あきら》
発行者　佐藤隆信
発行所　株式会社　新潮社
郵便番号　一六二—八七一一
東京都新宿区矢来町七一
電話　編集部（〇三）三二六六—五四四〇
　　　読者係（〇三）三二六六—五一一一
https://www.shinchosha.co.jp

価格はカバーに表示してあります。

乱丁・落丁本は、ご面倒ですが小社読者係宛ご送付ください。送料小社負担にてお取替えいたします。

印刷・大日本印刷株式会社　製本・加藤製本株式会社

ISBN978-4-10-111713-3　C0193